사고력 수학 소마가 개발한 연산학습의 새 기준!!

소마의 **마**술같은 원리**셈**

소마셈

B8
2학년

수학이 즐거워지는 특별한 수학교실
소마에서 개발한 연산교재 소마셈

소마셈

2002년 대치소마 개원 이후로 끊임없는 교재 연구와 교구의 개발은 소마의 자랑이자 자부심입니다.
교구, 게임, 토론 등의 다양한 활동식 수업으로 스스로 문제해결능력을 키우고, 아이들이 수학에 대한 흥미와 자신감을 가질 수 있도록 차별성 있는 수업을 해 온 소마에서 연산 학습의 새로운 패러다임을 제시합니다.

연산 교육의 현실

연산 교육의 가장 큰 폐해는 '초등 고학년 때 연산이 빠르지 않으면 고생한다.'는 기존 연산 학습지의 왜곡된 마케팅으로 인해 단순 반복을 통한 기계적 연산을 강조하는 것입니다. 하지만, 기계적 반복을 위주로 하는 연산은 개념과 원리가 빠진 연산 학습으로써 아이들이 수학을 싫어하게 만들 뿐 아니라 사고의 확장을 막는 학습방법입니다.

초등수학 교과과정과 연산

초등교육과정에서는 문자와 기호를 사용하지 않고 말로 풀어서 연산의 개념과 원리를 설명하다가 중등교육과정부터 문자와 기호를 사용합니다. 교과서를 살펴보면 모든 연산의 도입에 원리가 잘 설명되어 있습니다. 요즘 현실에서는 연산의 원리를 묻는 서술형 문제도 많이 출제되고 있는데 연산은 연습이 우선이라는 인식이 아직도 지배적입니다.

연산 학습은 어떻게?

연산 교육은 별도로 떼어내어 추상적인 숫자나 기호만 가지고 다뤄서는 절대로 안됩니다. 구체물을 가지고 생각하고 이해한 후, 연산 연습을 하는 것이 필요합니다. 또한, 속도보다 정확성을 위주로 학습하여 실수를 극복할 수 있는 좋은 습관을 갖추는 데에 초점을 맞춰야 합니다.

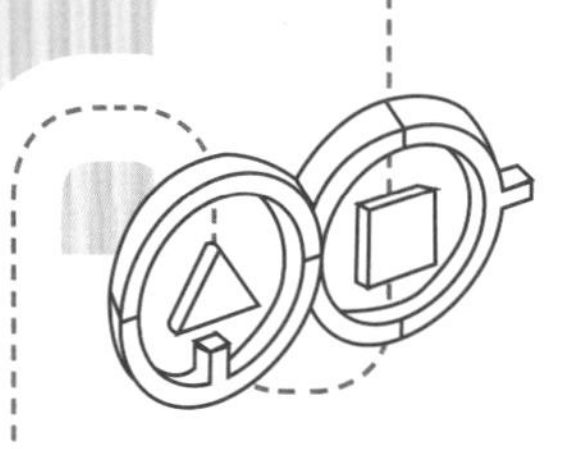

소마셈 연산학습 방법

10이 넘는 한 자리 덧셈 구체물을 통한 개념의 이해

덧셈과 뺄셈의 기본은 수를 세는 데에 있습니다. 8+4는 8에서 1씩 4번을 더 센 것이라는 개념이 중요합니다. 10의 보수를 이용한 받아 올림을 생각하면 8+4는 (8+2)+2지만 연산 공부를 시작할 때에는 덧셈의 기본 개념에 충실한 것이 좋습니다. 이 책은 구체물을 통해 개념을 이해할 수 있도록 구체적인 예를 든 연산 문제로 구성하였습니다.

가로셈 가로셈을 통한 수에 대한 사고력 기르기

세로셈이 잘못된 방법은 아니지만 연산의 원리는 잊고 받아 올림한 숫자는 어디에 적어야 하는지만을 기억하여 마치 공식처럼 풀게 합니다. 기계적으로 반복하는 연습은 생각없이 연산을 하게 만듭니다. 가로셈을 통해 원리를 생각하고 수를 쪼개고 붙이는 등의 과정에서 키워질 수 있는 수에 대한 사고력도 매우 중요합니다.

곱셈구구 곱셈도 개념 이해를 바탕으로

곱셈구구는 암기에만 초점을 맞추면 부작용이 큽니다. 곱셈은 덧셈을 압축한 것이라는 원리를 이해하며 구구단을 외움으로써 연산을 빨리 할 수 있다는 것을 알게 해야 합니다. 곱셈구구를 외우는 것도 중요하지만 곱셈의 의미를 정확하게 아는 것이 더 중요합니다. 4×3을 할 줄 아는 학생이 두 자리 곱하기 한 자리는 안 배워서 45×3을 못 한다고 말하는 일은 없도록 해야 합니다.

K단계 (5, 6, 7세) • 연산을 시작하는 단계

뛰어세기, 거꾸로 뛰어세기를 통해 수의 연속한 성질(linearity)을 이해하고 덧셈, 뺄셈을 공부합니다. 각 권의 호흡은 짧지만 일관성 있는 접근으로 자연스럽게 나선형식 반복학습의 효과가 있도록 하였습니다.

학습대상 : 연산을 시작하는 아이와 한 자리 수 덧셈을 구체물(손가락 등)을 이용하여 해결하는 아이

학습목표 : 수와 연산의 튼튼한 기초 만들기

P단계 (7세, 1학년) • 받아올림이 있는 덧셈, 뺄셈을 배울 준비를 하는 단계

5, 6, 9 뛰어세기를 공부하면서 10을 이용한 더하기, 빼기의 편리함을 알도록 한 후, 가르기와 모으기의 집중학습으로 보수 익히기, 10의 보수를 이용한 덧셈, 뺄셈의 원리를 공부합니다.

학습대상 : 받아올림이 없는 한 자리 수의 덧셈을 할 줄 아는 학생

학습목표 : 받아올림이 있는 연산의 토대 만들기

A단계 (1학년) • 초등학교 1학년 교과과정 연산

받아올림이 있는 한 자리 수의 덧셈, 뺄셈은 연산 전체에 매우 중요한 단계입니다. 원리를 정확하게 알고 A1에서 A4까지 총 4권에서 한 자리 수의 연산을 다양한 과정으로 연습하도록 하였습니다.

학습대상 : 초등학교 1학년 수학교과과정을 공부하는 학생

학습목표 : 10의 보수를 이용한 받아올림이 있는 덧셈, 뺄셈

B단계 (2학년) • 초등학교 2학년 교과과정 연산

두 자리, 세 자리 수의 연산을 다룬 후 곱셈, 나눗셈을 다루는 과정에서 곱셈구구의 암기를 확인하기보다는 곱셈구구를 외우는데 도움이 되고, 곱셈, 나눗셈의 원리를 확장하여 사고할 수 있도록 하는데 초점을 맞추었습니다.

학습대상 : 초등학교 2학년 수학교과과정을 공부하는 학생

학습목표 : 덧셈, 뺄셈의 완성 / 곱셈, 나눗셈의 원리를 정확하게 알고 개념 확장

C단계 (3학년) • 초등학교 3, 4학년 교과과정 연산

B단계까지의 소마셈은 다양한 문제를 통해서 학생들이 즐겁게 연산을 공부하고 원리를 정확하게 알게 하는데 초점을 맞추었다면, C단계는 3학년 과정의 큰 수의 연산과 4학년 과정의 혼합 계산, 괄호를 사용한 식 등, 필수 연산의 연습을 충실히 할 수 있도록 하였습니다.

학습대상 : 초등학교 3, 4학년 수학교과과정을 공부하는 학생

학습목표 : 큰 수의 곱셈과 나눗셈, 혼합 계산

D단계 (4학년) • 초등학교 4, 5학년 교과과정 연산

분모가 같은 분수의 덧셈과 뺄셈, 소수의 덧셈과 뺄셈을 공부하여 초등 4학년 과정 연산을 마무리하고 초등 5학년 연산과정에서 가장 중요한 약수와 배수, 분모가 다른 분수의 덧셈과 뺄셈을 충분히 익힐 수 있도록 하였습니다.

학습대상 : 초등학교 4, 5학년 수학교과과정을 공부하는 학생

학습목표 : 분모가 같은 분수의 덧셈과 뺄셈, 소수의 덧셈과 뺄셈, 분모가 다른 분수의 덧셈과 뺄셈

소마셈 단계별 학습내용

K단계 추천연령 : 5, 6, 7세

단계	K1	K2	K3	K4
권별 주제	10까지의 더하기와 빼기 1	20까지의 더하기와 빼기 1	10까지의 더하기와 빼기 2	20까지의 더하기와 빼기 2
단계	K5	K6	K7	K8
권별 주제	10까지의 더하기와 빼기 3	20까지의 더하기와 빼기 3	20까지의 더하기와 빼기 4	7까지의 가르기와 모으기

P단계 추천연령 : 7세, 1학년

단계	P1	P2	P3	P4
권별 주제	30까지의 더하기와 빼기 5	30까지의 더하기와 빼기 6	30까지의 더하기와 빼기 10	30까지의 더하기와 빼기 9
단계	P5	P6	P7	P8
권별 주제	9까지의 가르기와 모으기	10 가르기와 모으기	10을 이용한 더하기	10을 이용한 빼기

A단계 추천연령 : 1학년

단계	A1	A2	A3	A4
권별 주제	덧셈구구	뺄셈구구	세 수의 덧셈과 뺄셈	□가 있는 덧셈과 뺄셈
단계	A5	A6	A7	A8
권별 주제	(두 자리 수)+(한 자리 수)	(두 자리 수)−(한 자리 수)	두 자리 수의 덧셈과 뺄셈	□가 있는 두 자리 수의 덧셈과 뺄셈

B단계 추천연령 : 2학년

단계	B1	B2	B3	B4
권별 주제	(두 자리 수)+(두 자리 수)	(두 자리 수)−(두 자리 수)	세 자리 수의 덧셈과 뺄셈	덧셈과 뺄셈의 활용
단계	B5	B6	B7	B8
권별 주제	곱셈	곱셈구구	나눗셈	곱셈과 나눗셈의 활용

C단계 추천연령 : 3학년

단계	C1	C2	C3	C4
권별 주제	두 자리 수의 곱셈	두 자리 수의 곱셈과 활용	두 자리 수의 나눗셈	세 자리 수의 나눗셈과 활용
단계	C5	C6	C7	C8
권별 주제	큰 수의 곱셈	큰 수의 나눗셈	혼합 계산	혼합 계산의 활용

D단계 추천연령 : 4학년

단계	D1	D2	D3	D4
권별 주제	분모가 같은 분수의 덧셈과 뺄셈(1)	분모가 같은 분수의 덧셈과 뺄셈(2)	소수의 덧셈과 뺄셈	약수와 배수
단계	D5	D6		
권별 주제	분모가 다른 분수의 덧셈과 뺄셈(1)	분모가 다른 분수의 덧셈과 뺄셈(2)		

1

수 이야기

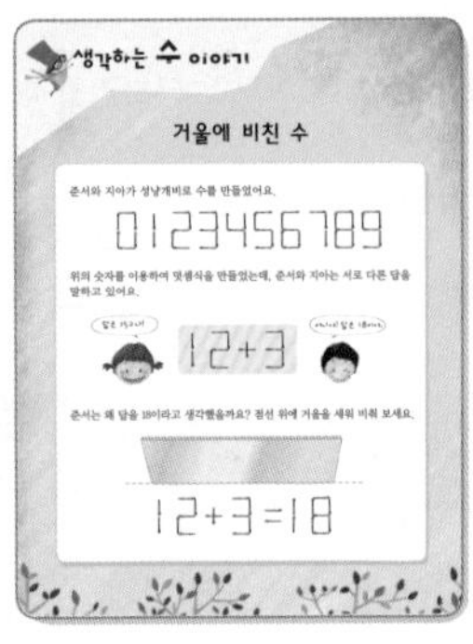

생활 속의 수 이야기를 통해 수와 연산의 이해를 돕습니다. 수의 역사나 재미있는 연산 문제를 접하면서 수학이 재미있는 공부가 되도록 합니다.

2

원리 & 연습

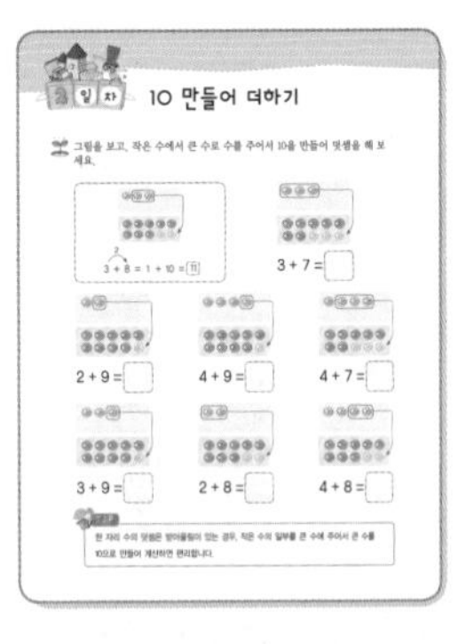

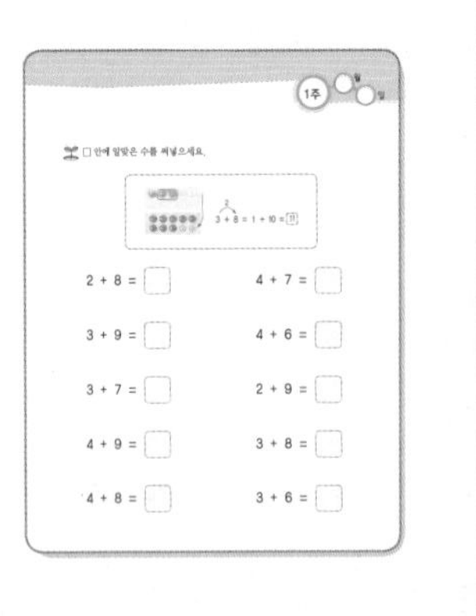

구체물 또는 그림을 통해 연산의 원리를 쉽게 이해하고, 원리의 이해를 바탕으로 연산이 익숙해지도록 연습합니다.

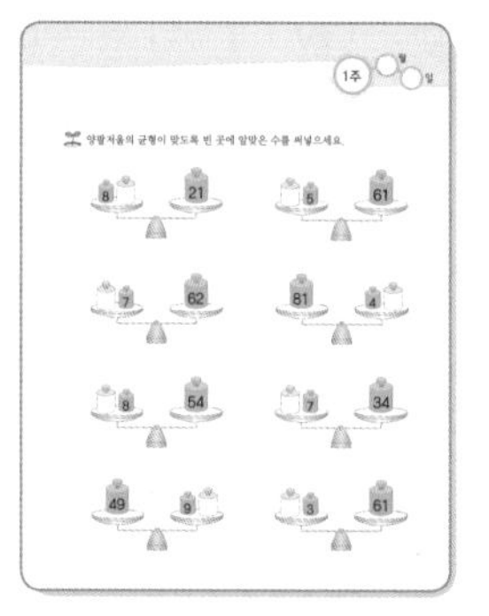

사고력 연산

반복적인 연산에서 나아가 배운 원리를 활용하여 확장된 문제를 해결합니다. 어려운 문제를 싣기보다 다양한 생각을 할 수 있는 내용으로 구성하였습니다.

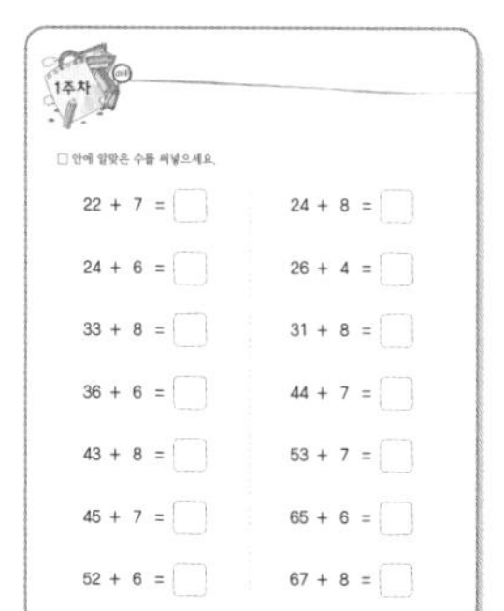

Drill (보충학습)

주차별 주제에 대한 연습이 더 필요한 경우 보충학습을 활용합니다.

TIP 연산과정의 확인이 필수적인 주제는 Drill의 양을 2배로 담았습니다.

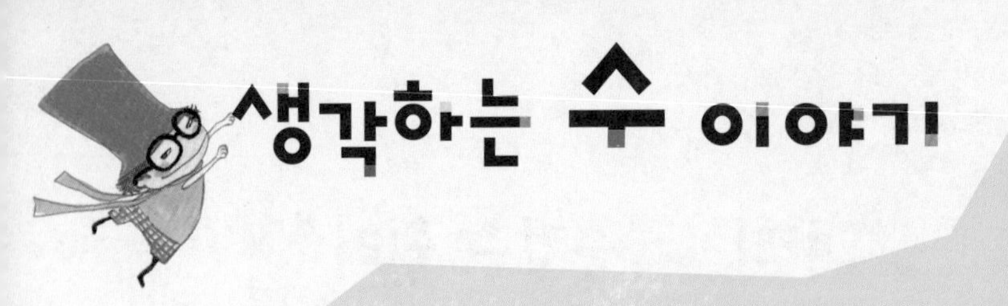

파스칼의 삼각형

'파스칼의 삼각형'은 자연수를 삼각형 모양으로 배열한 것을 말해요. 처음에 이 삼각형을 발견한 사람은 중국사람이었지만, 프랑스의 수학자인 파스칼이 이 삼각형에서 흥미로운 규칙을 많이 발견했기 때문에 파스칼의 삼각형이라고 부르게 되었답니다.

규칙 1 파스칼의 삼각형에서 양끝의 1을 제외한 각 수는 오른쪽 위의 수와 왼쪽 위의 수의 합으로 되어 있어요.

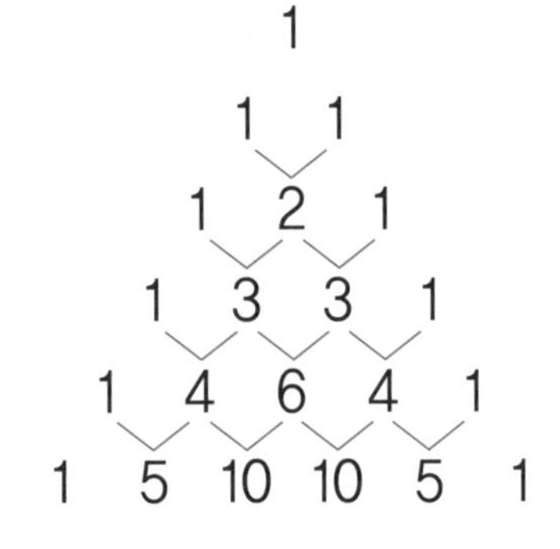

규칙 2 표시된 곳과 같이 1, 2, 3, 4, 5…로 자연수가 차례로 쓰여 있음을 알 수 있어요.

1
1 1
1 2 1
1 3 3 1
1 4 6 4 1
1 5 10 10 5 1

위와 같은 규칙 이외에 파스칼의 삼각형에 숨어있는 다른 규칙들도 찾아보세요.

소마셈 B8 – 1주차

규칙과 곱셈

매트릭스

빈칸에는 가로와 세로에 쓰인 두 수의 곱이 들어갑니다. 빈칸에 알맞은 수를 써넣으세요.

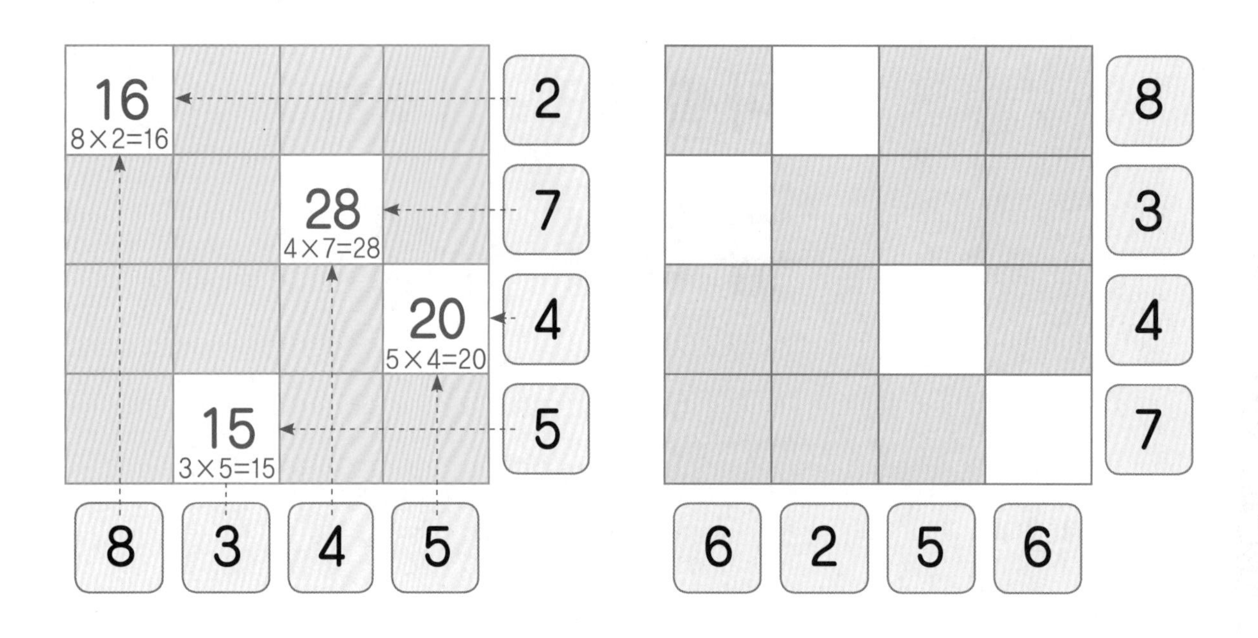

			□	9
		□		4
	□			6
□				8
2	6	4	3	

		□		6
	□			5
□				7
			□	4
3	7	2	9	

빈칸에는 가로와 세로에 쓰인 두 수의 곱이 들어갑니다. 빈칸에 알맞은 수를 써넣으세요.

49				7
	48			8
		36		9
			9	3
7	6	4	3	

				3
				7
				5
				6
9	2	3	4	

				3
				6
				4
				3
3	5	8	9	

				2
				8
				5
				3
4	5	8	7	

빈칸에는 가로와 세로에 쓰인 두 수의 곱이 들어갑니다. 빈칸에 알맞은 수를 써넣으세요.

		18		9
	15			3
			32	8
30				5
6	5	2	4	

		42		6
				4
				5
			18	3
8	6			

81				
		27		3
				5
				8
9	5		8	

				7
		54		6
			21	3
				5
7	4			

사각형 곱셈

○ 안에는 각 줄의 □ 안의 두 수의 곱이 들어갑니다. ○ 안에 알맞은 수를 써넣으세요.

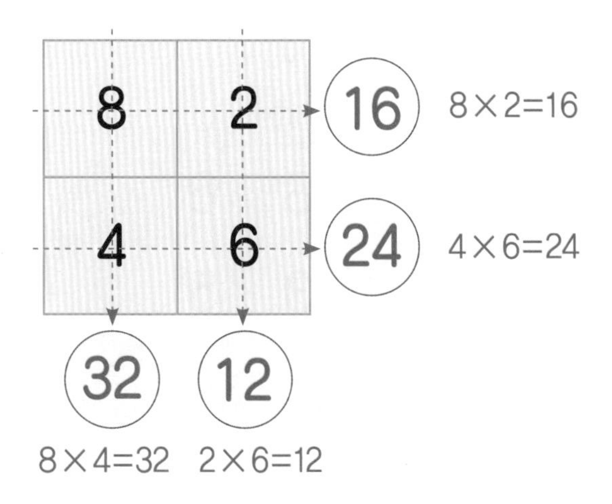

7	5	○
4	9	○
○	○	

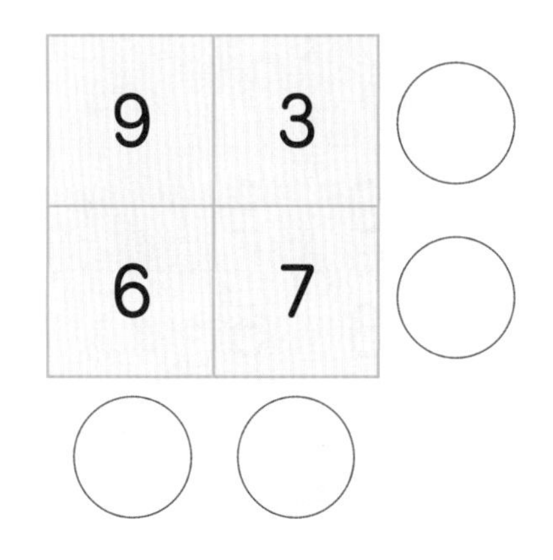

8	2	○
4	9	○
○	○	

3	6	○
7	6	○
○	○	

7	7	○
8	5	○
○	○	

안에는 각 줄의 □ 안의 두 수의 곱이 들어갑니다. 안에 알맞은 수를 써넣으세요.

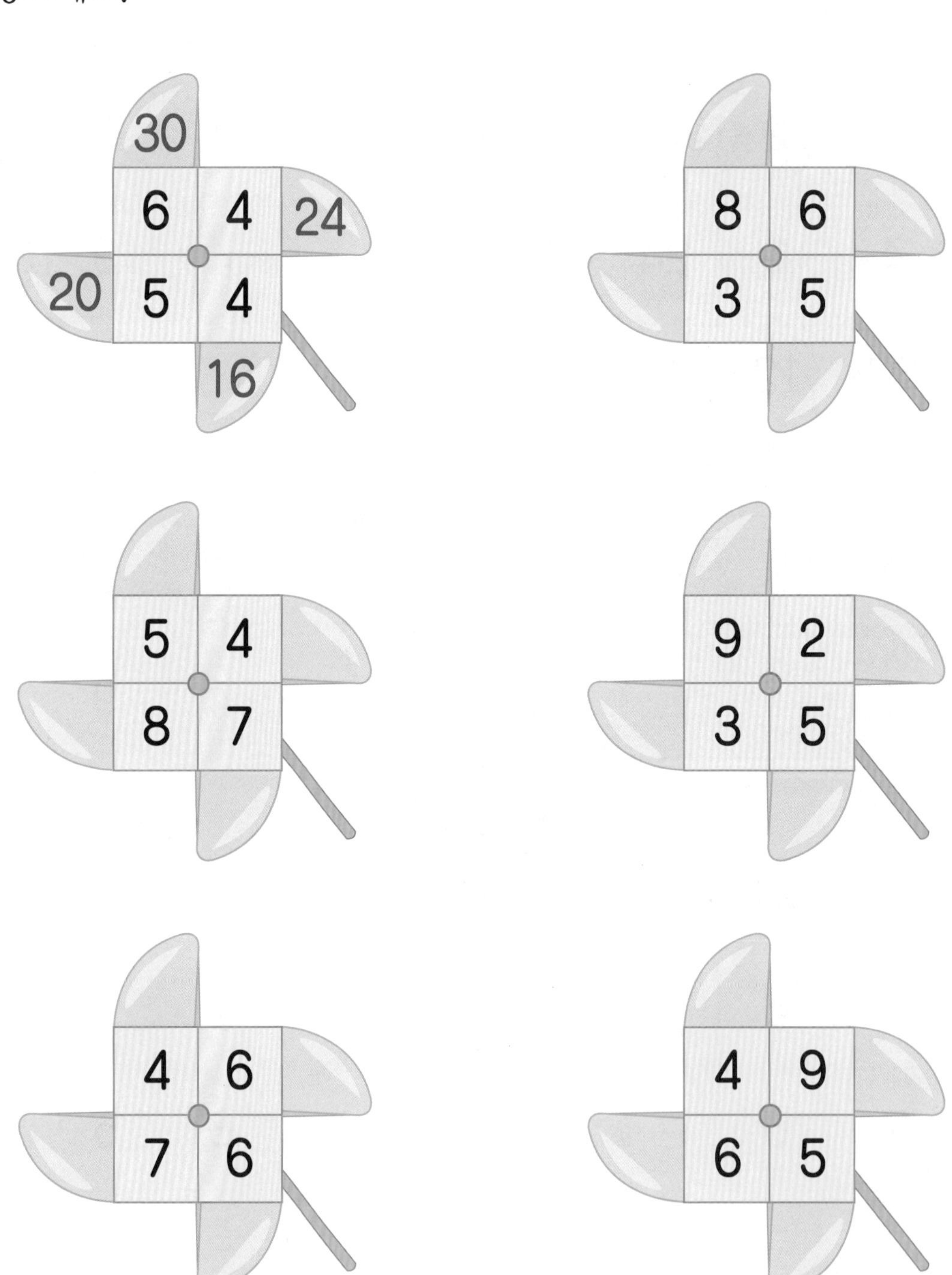

안에는 각 줄의 □ 안의 두 수의 곱이 들어갑니다. 빈칸에 알맞은 수를 써 넣으세요.

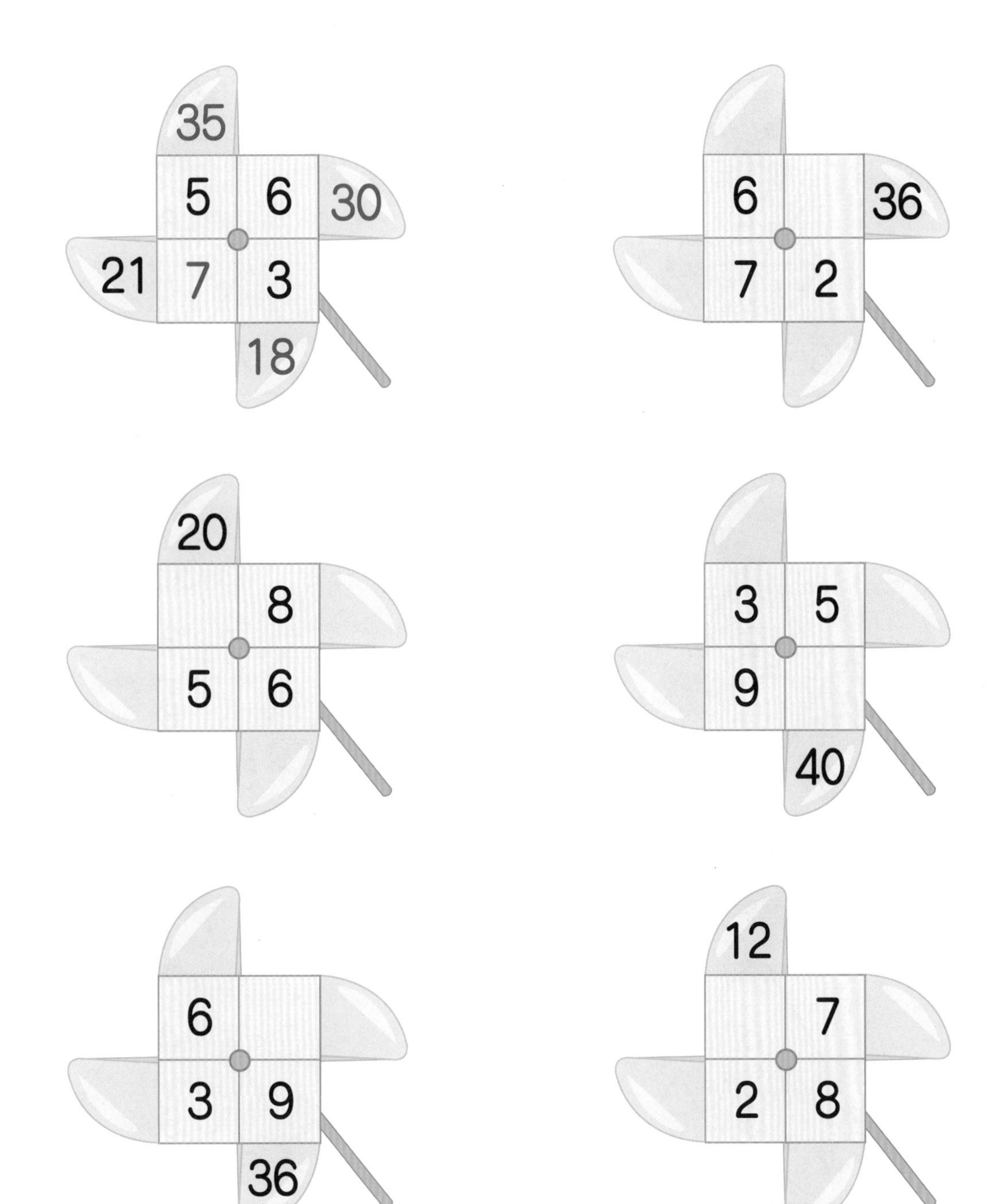

삼각형 곱셈

🌱 안에는 각 줄의 △ 안의 두 수의 곱이 들어갑니다. 안에 알맞은 수를 써넣으세요.

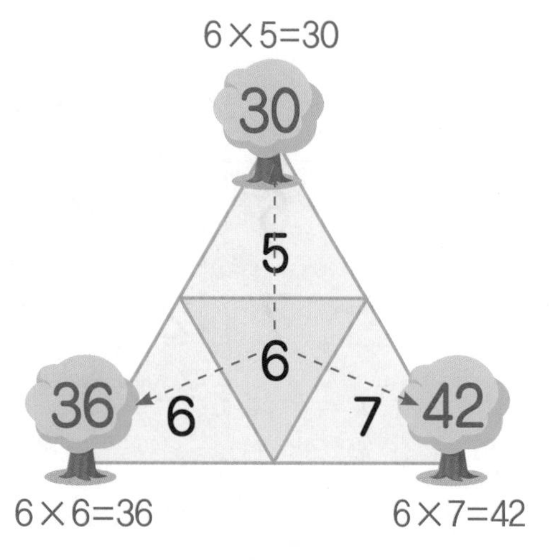

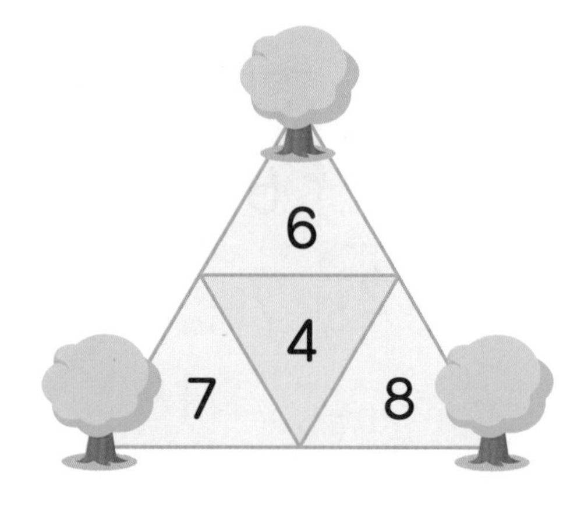

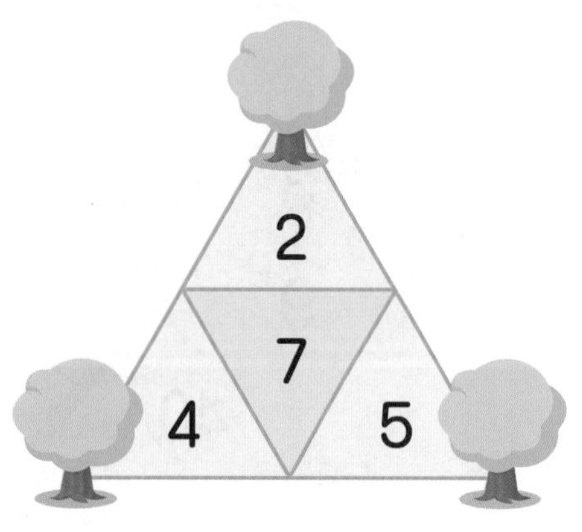

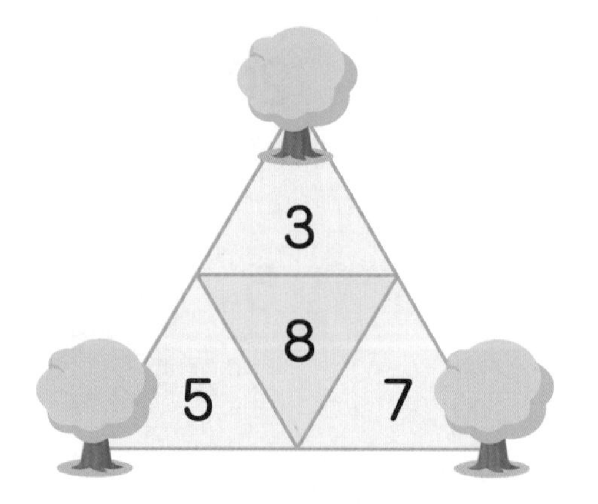

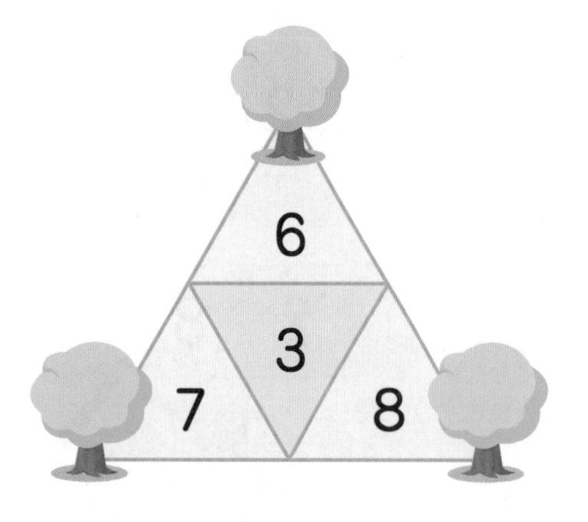

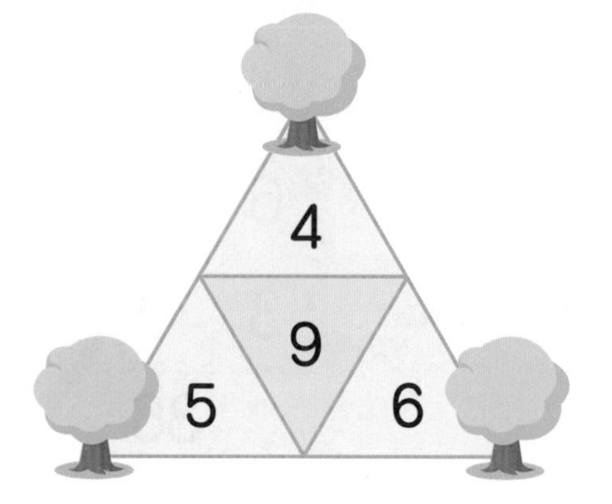

선으로 이어진 ○ 안의 두 수의 곱이 □ 안의 수가 되도록 빈칸에 알맞은 수를 써넣으세요.

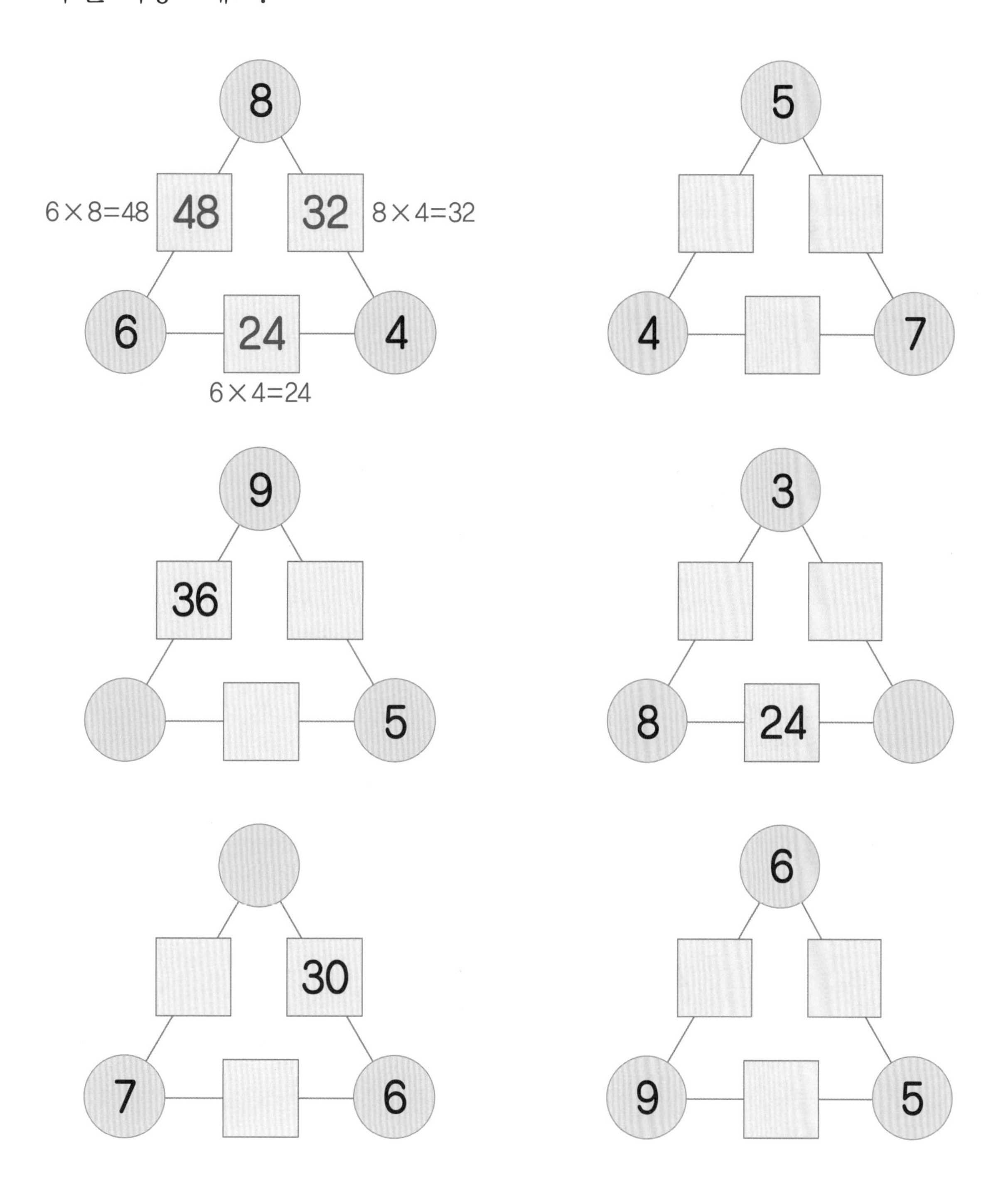

선으로 이어진 ○ 안의 두 수의 곱이 □ 안의 수가 되도록 빈칸에 알맞은 수를 써넣으세요.

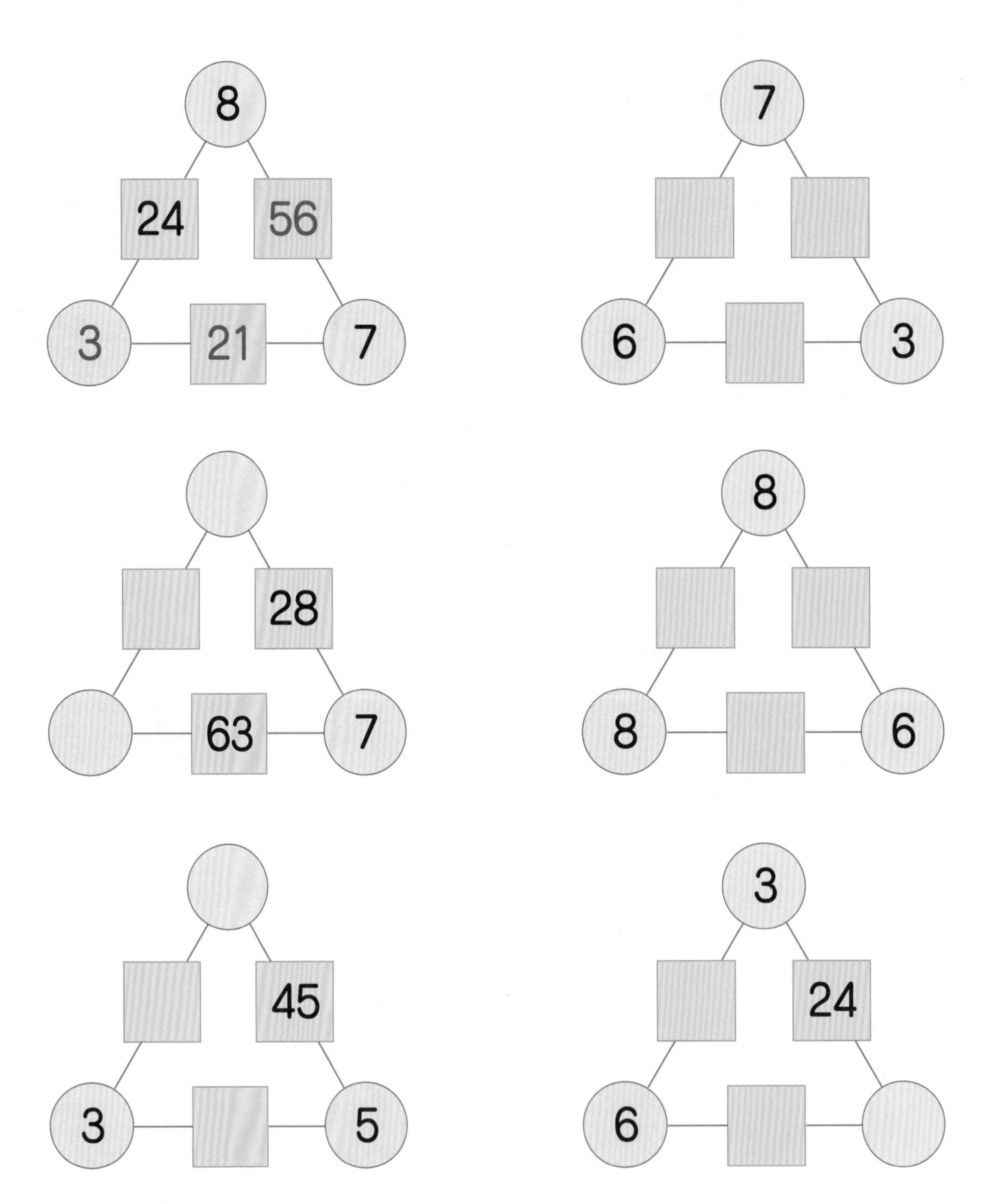

점수판 맞추기

화살이 점수판에 맞은 자리를 보고 점수를 계산해 보세요.

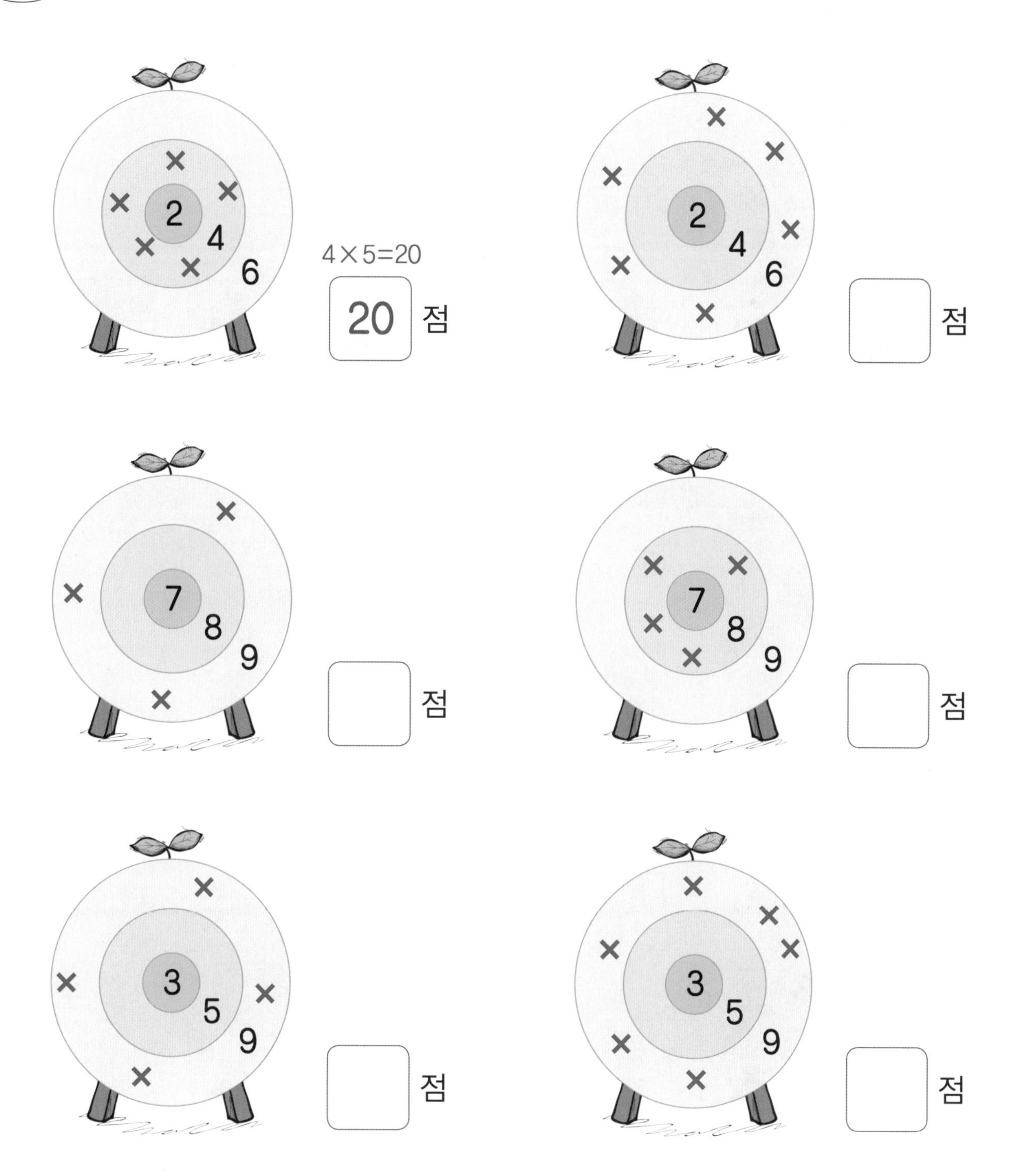

신나는 연산!

화살이 점수판에 맞은 자리를 보고 점수를 계산해 보세요.

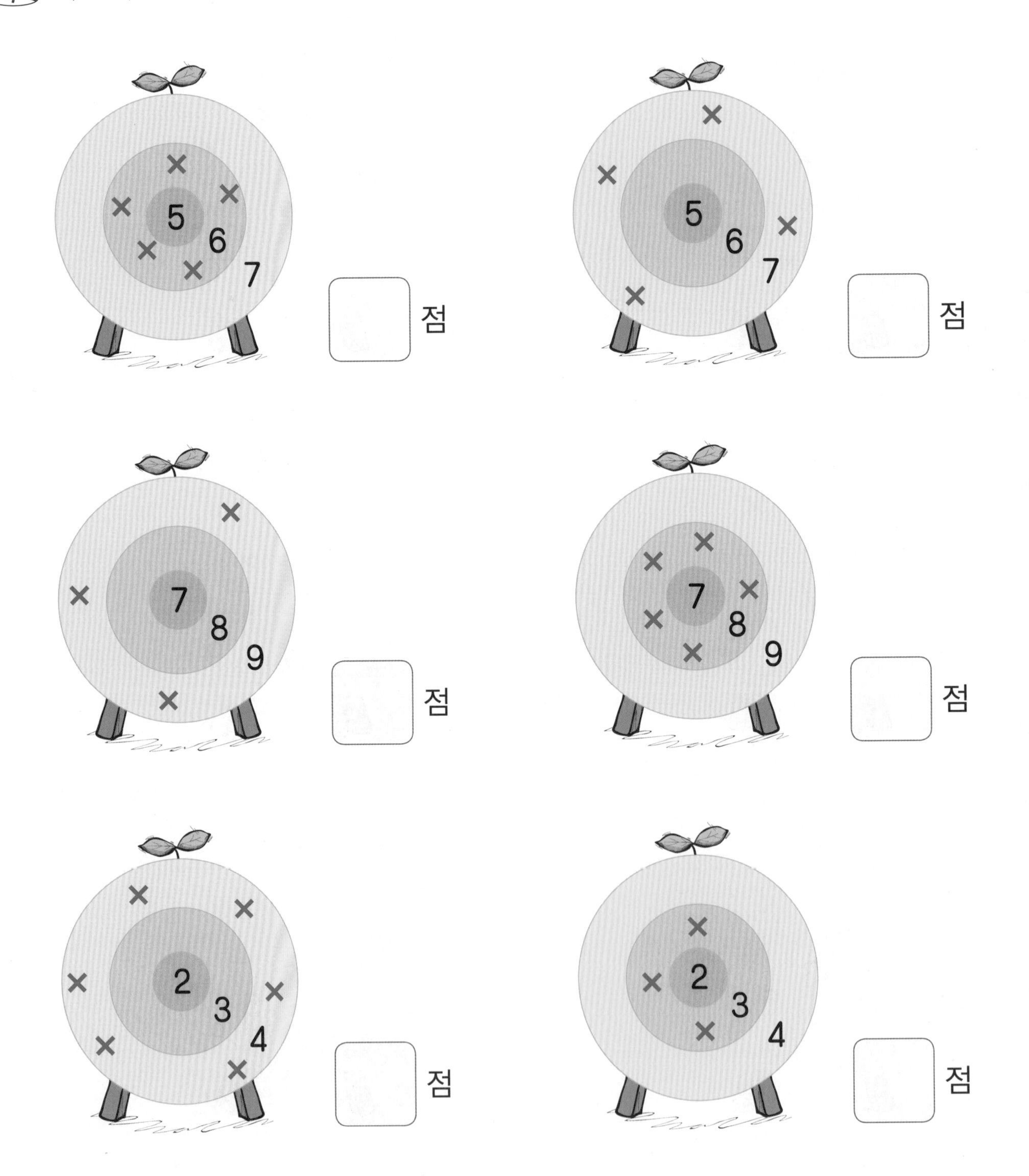

화살이 점수판에 맞은 자리를 보고 점수를 계산해 보세요.

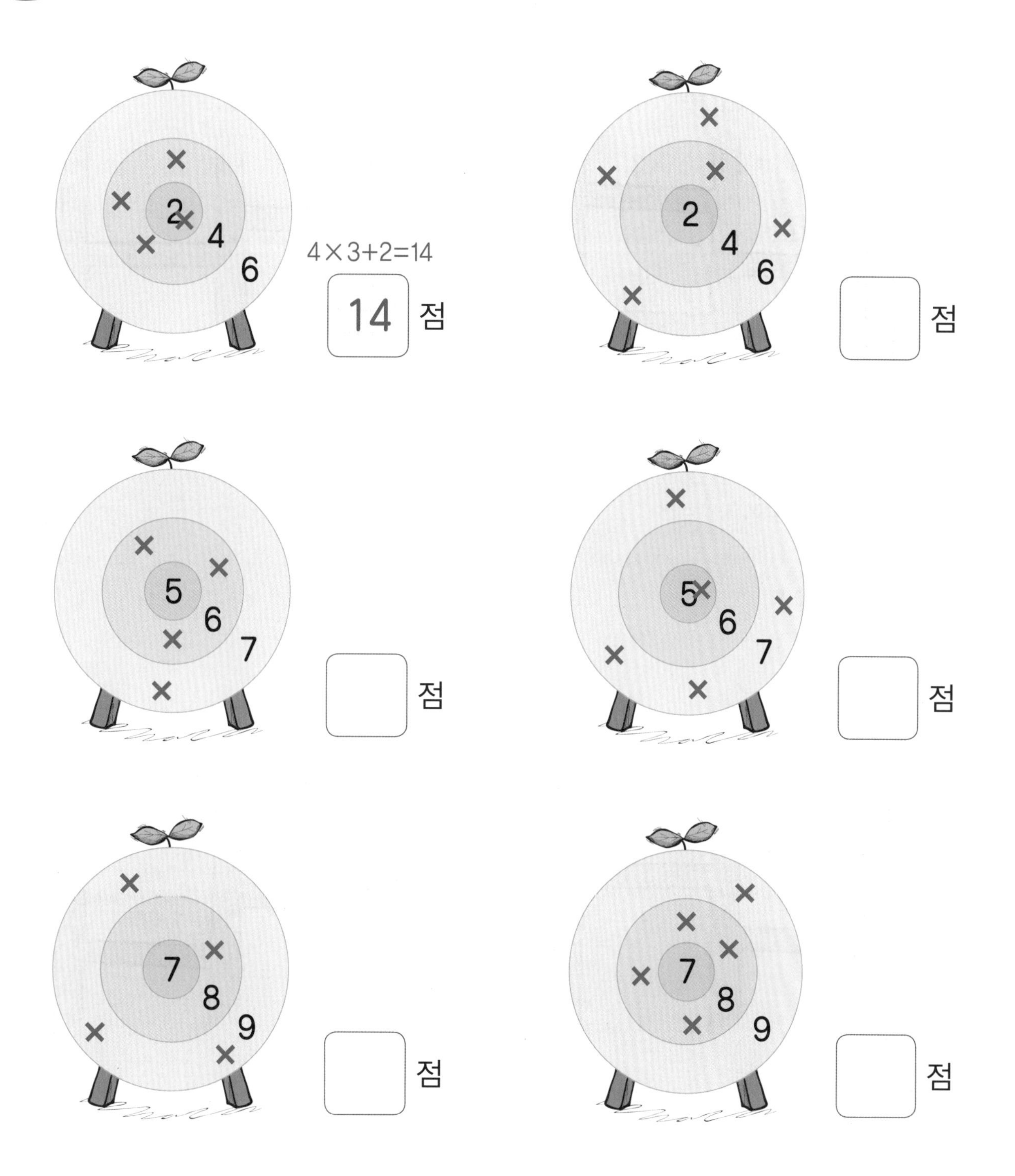

사다리 타기

사다리를 타고 내려와 빈칸에 알맞은 수를 써넣으세요.

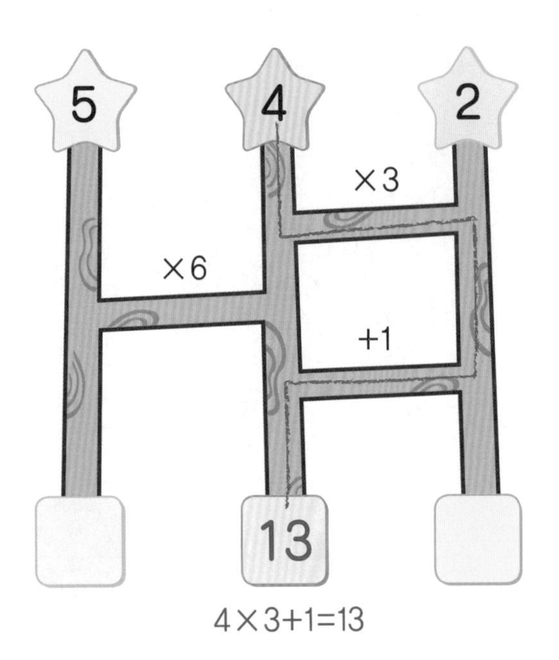

4×3+1=13

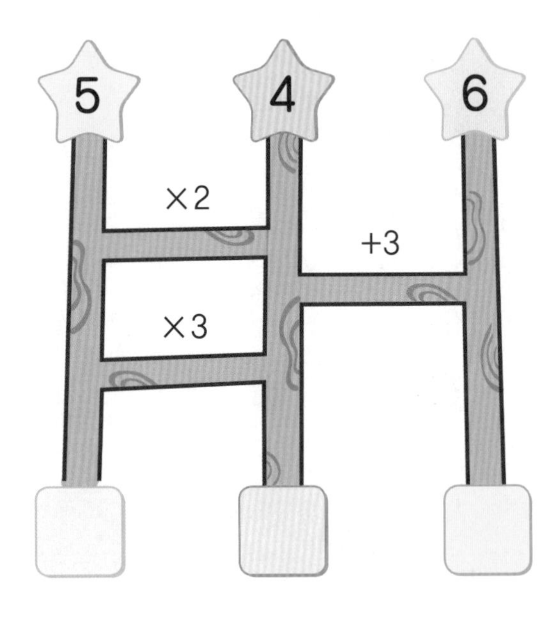

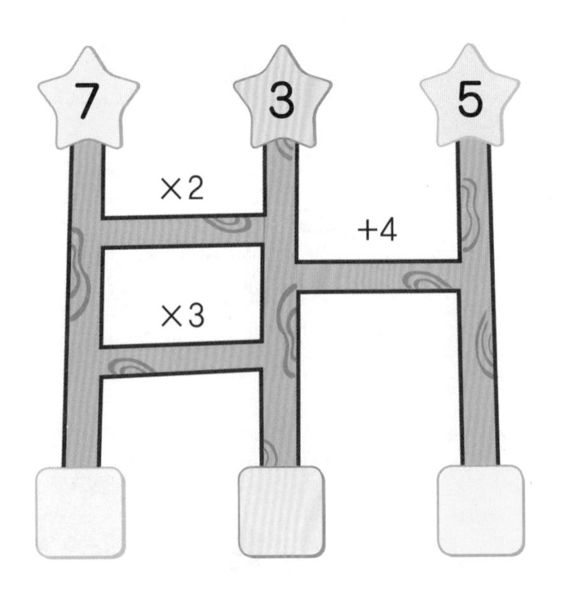

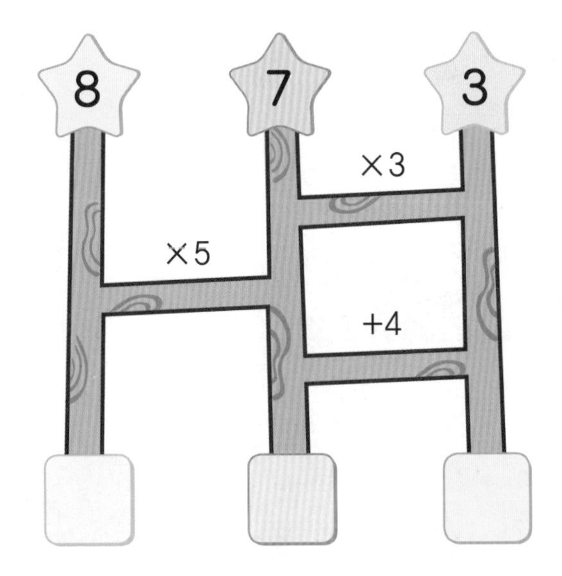

 사다리를 타고 내려와 빈칸에 알맞은 수를 써넣으세요.

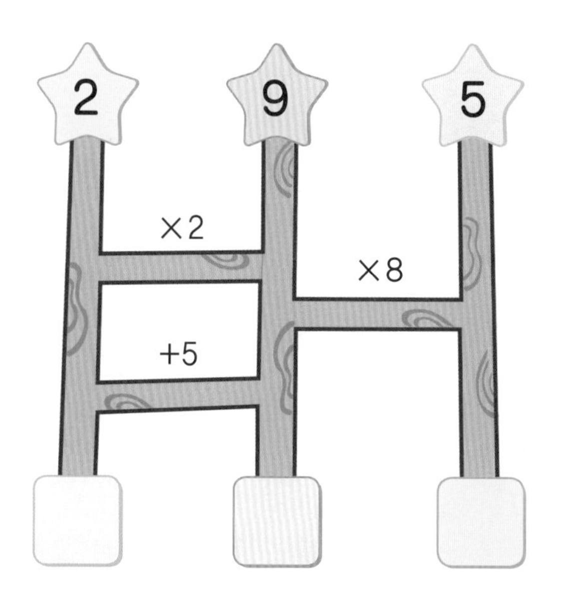

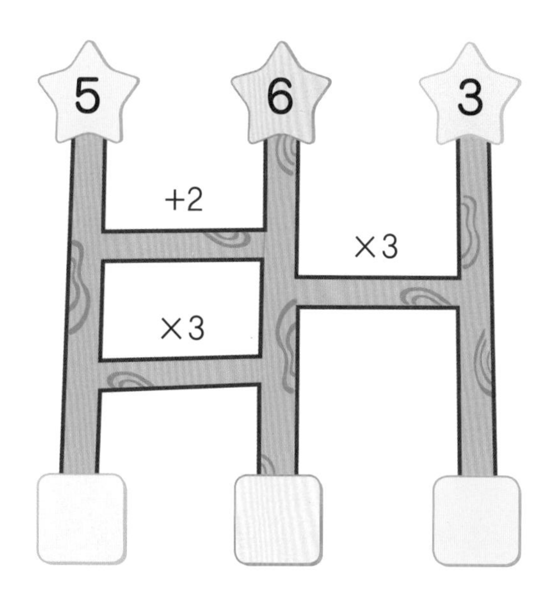

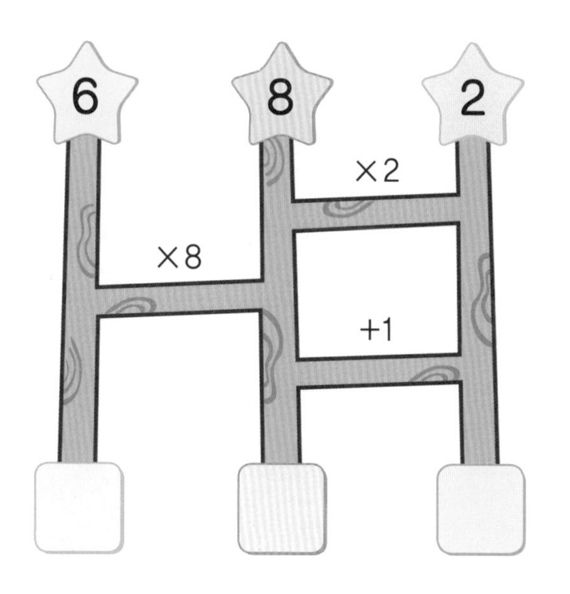

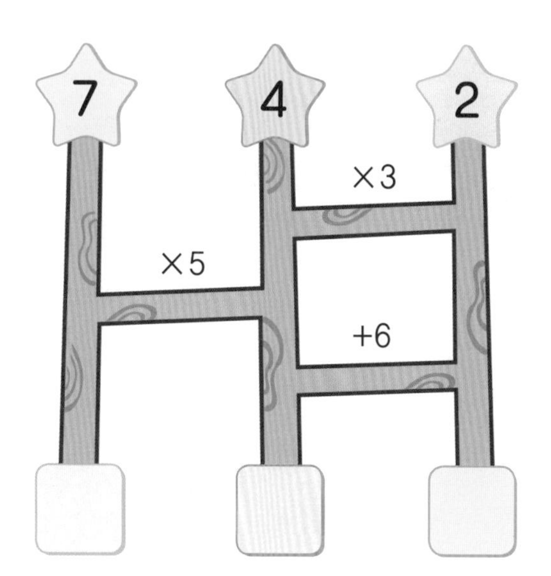

Note

소마셈 B8 – 2주차

곱셈식 만들기

목표수 만들기 (1)

숫자 카드를 한 번씩 사용하여 목표수를 만들려고 합니다. 두 수의 곱이 ◯ 안의 수가 되는 알맞은 숫자 카드 두 장을 찾아 빈칸에 써넣으세요.

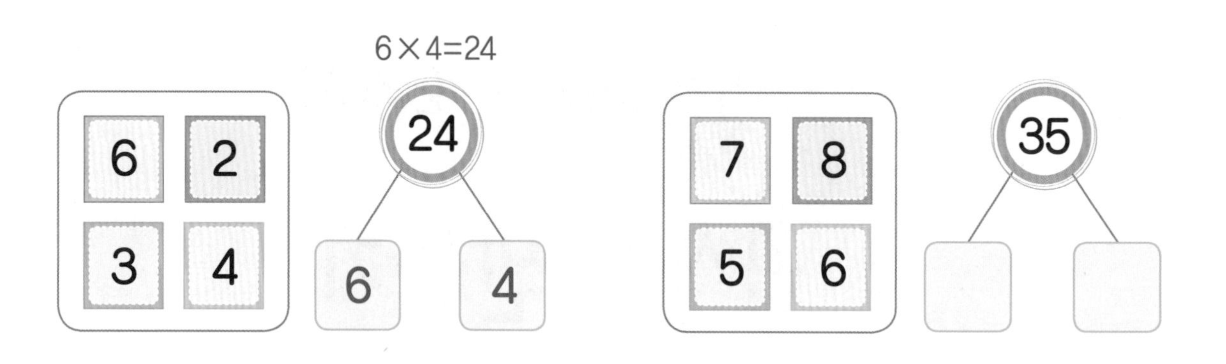

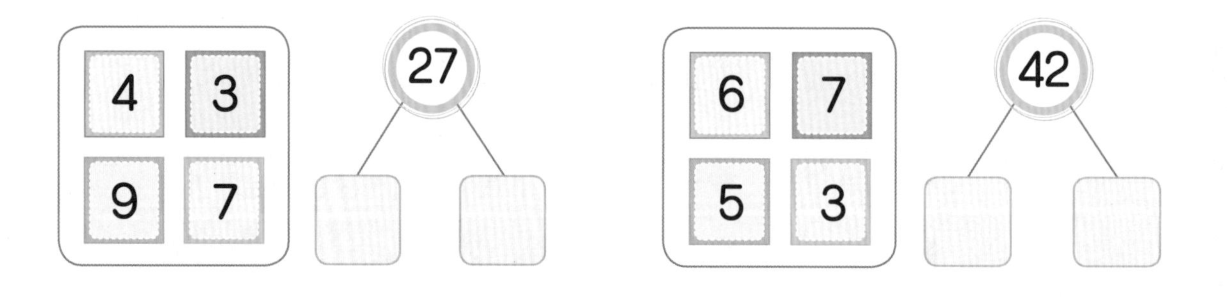

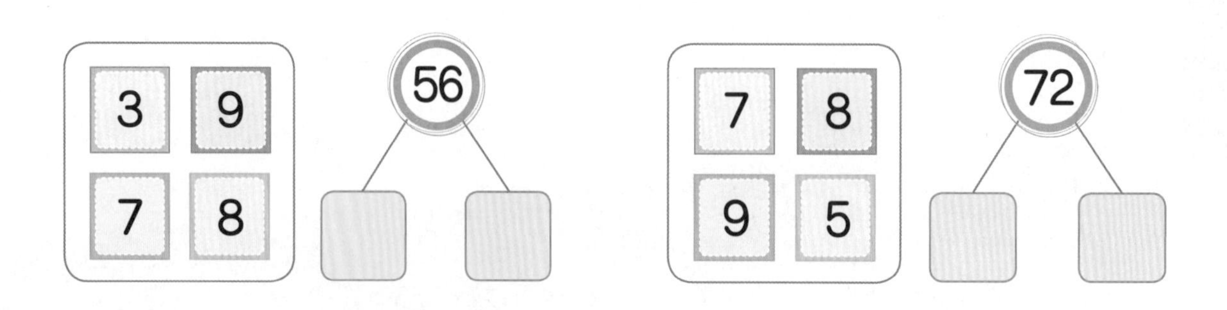

두 수의 곱이 □ 안의 수가 되도록 두 수를 찾아 선으로 이어 보세요.

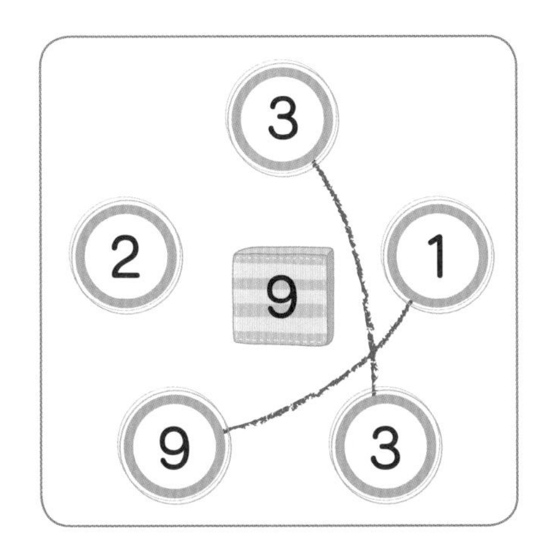

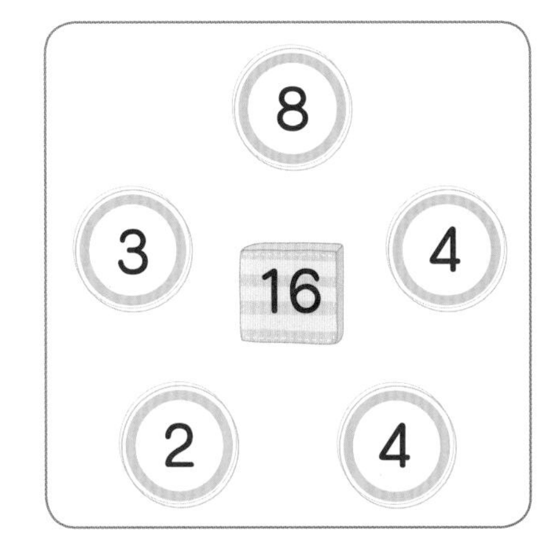

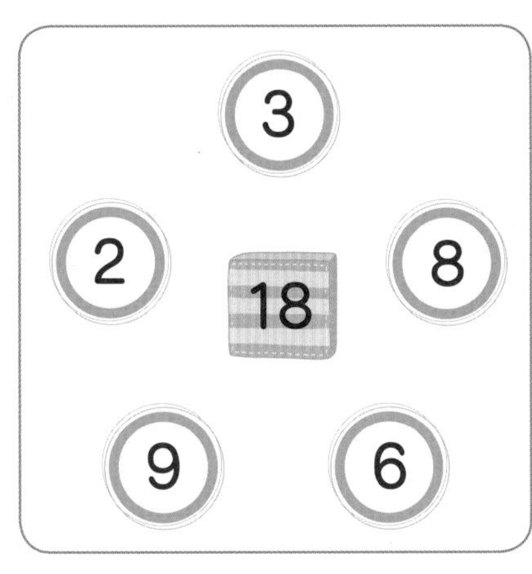

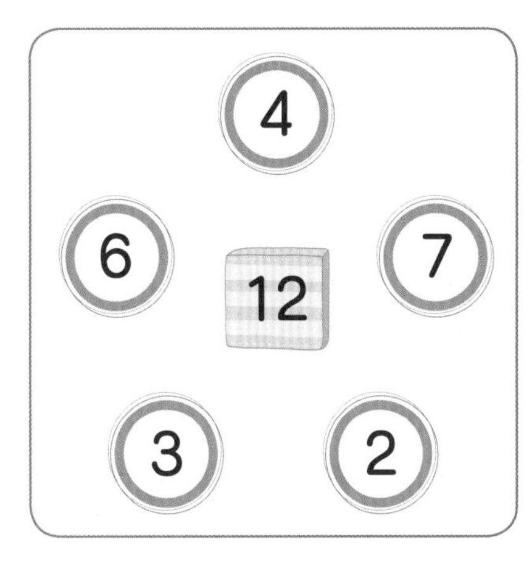

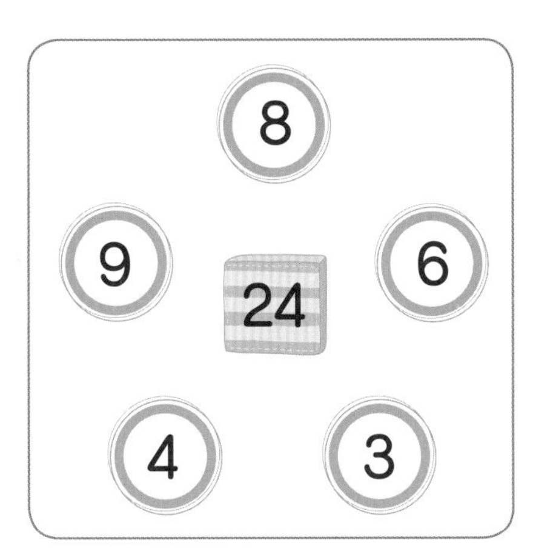

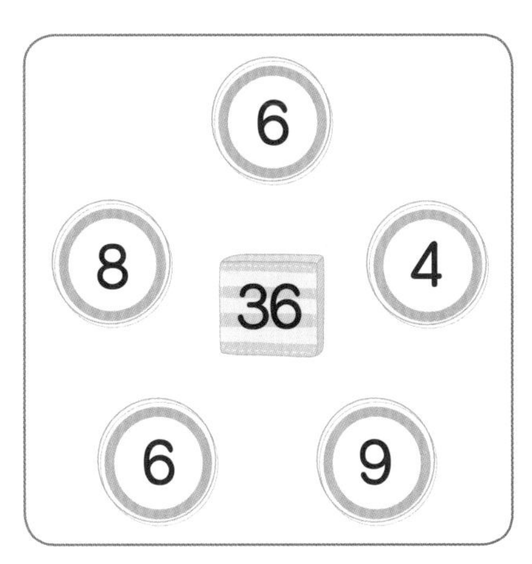

목표수 만들기 (2)

숫자 카드를 한 번씩 사용하여 목표수를 만들려고 합니다. 두 수의 곱이 ○ 안의 수가 되는 알맞은 숫자 카드를 두 장씩 찾아 빈칸에 써넣으세요.

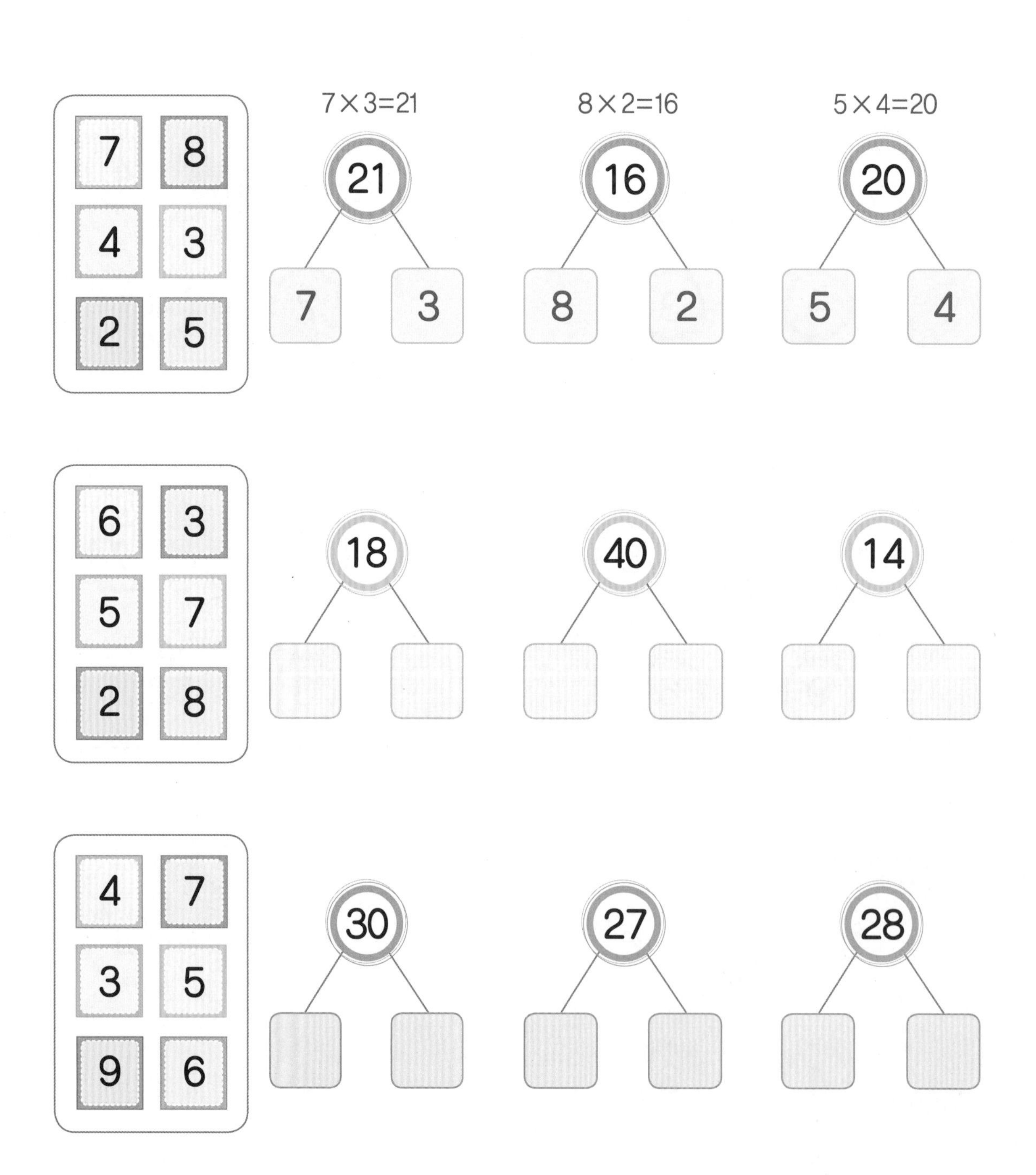

숫자 카드를 한 번씩 사용하여 목표수를 만들려고 합니다. 두 수의 곱이 ◯ 안의 수가 되는 알맞은 숫자 카드를 두 장씩 찾아 빈칸에 써넣으세요.

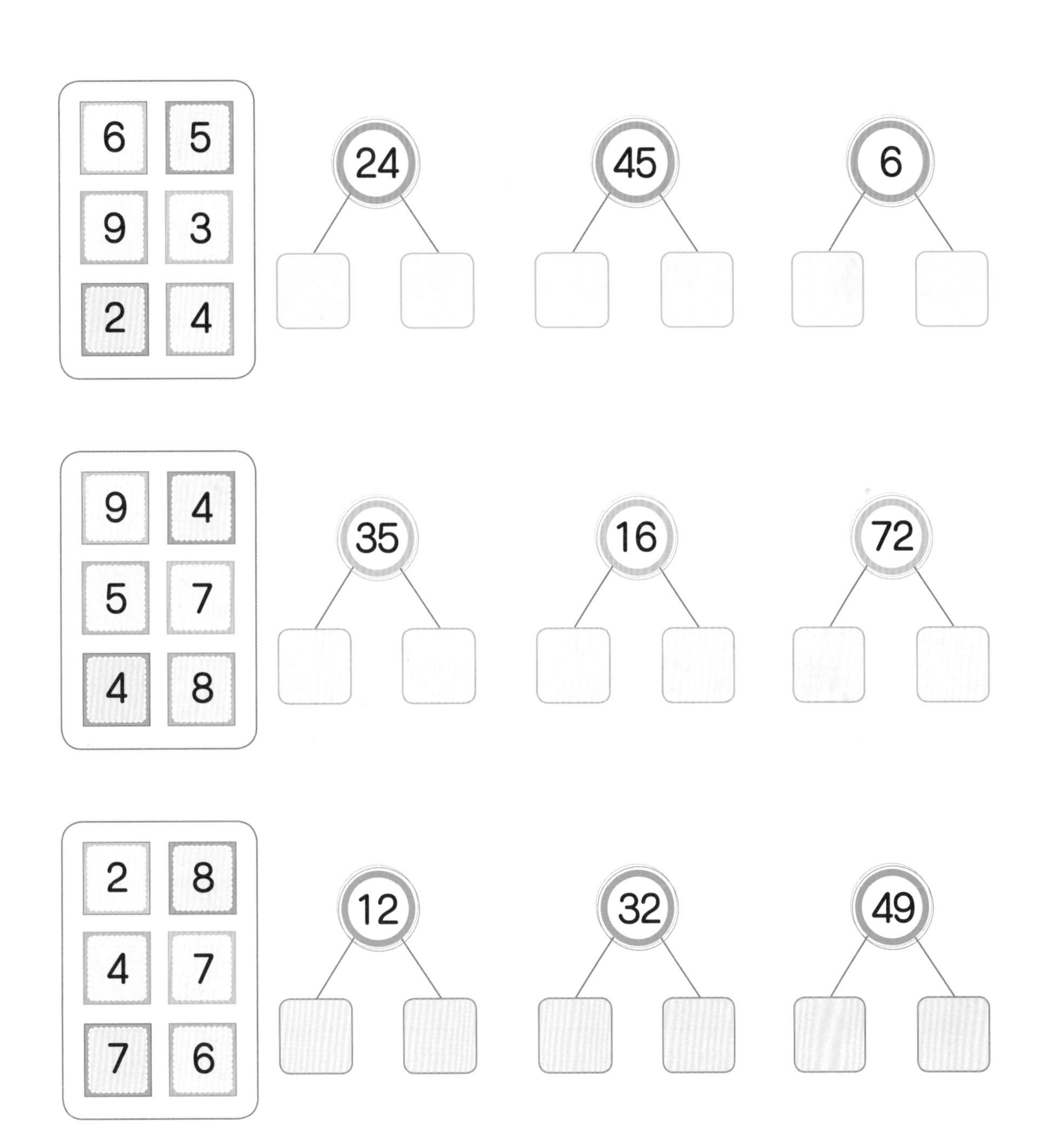

도형이 나타내는 수 (1)

다음 곱셈표에서 ○와 □는 서로 다른 수를 나타냅니다. 곱셈표를 보고 도형이 나타내는 알맞은 수를 찾아 빈칸에 써넣으세요.

×	□7	○5
○5	35	25
4	28	20

×	□	7
○		21
□	16	

×	□	○
○		36
2	16	

×	□	6
□	9	
○		54

×	□	7
○		35
□	36	

×	□	○
○		25
9	54	

○×○, □×□와 같이 같은 수를 두 번 곱한 값을 이용하여 문제를 해결할 수 있습니다.
2×2, 3×3, … , 9×9의 값이 얼마인지 생각해 보도록 합니다.

다음 곱셈표에서 ○와 □는 서로 다른 수를 나타냅니다. 곱셈표를 보고 도형이 나타내는 알맞은 수를 찾아 빈칸에 써넣으세요.

×	□8	○6
○6	48	36
3	24	18

×	□	6
○		24
□	49	

×	□	○
○		64
5	15	

×	□	5
□	36	
○		15

×	□	7
○		14
□	81	

×	□	○
○		25
7	28	

도형이 나타내는 수 (2)

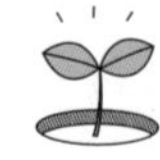

다음 식에서 같은 도형은 같은 수를, 다른 도형은 서로 다른 수를 나타냅니다. 식을 보고 도형이 나타내는 알맞은 수를 찾아 □ 안에 써넣으세요.

7 × 5 = 35
6 × 5 = 30
■ = 5 ● = 7

● × ■ = 24
■ × 7 = 42
■ = □ ● = □

● × ■ = 18
■ × 3 = 27
■ = □ ● = □

● × ■ = 40
9 × ■ = 72
■ = □ ● = □

● × ● = 36
■ × ● = 12
■ = □ ● = □

■ × ■ = 49
● × ■ = 21
■ = □ ● = □

다음 식에서 같은 도형은 같은 수를, 다른 도형은 서로 다른 수를 나타냅니다. 식을 보고 도형이 나타내는 알맞은 수를 찾아 □ 안에 써넣으세요.

☆ × ♡ = 42
♡ × 4 = 28
☆ = □ ♡ = □

☆ × ☆ = 64
♡ × ☆ = 72
☆ = □ ♡ = □

♡ × ☆ = 28
8 × ☆ = 56
☆ = □ ♡ = □

♡ × ♡ = 81
☆ × ♡ = 27
☆ = □ ♡ = □

☆ × ♡ = 30
♡ × 3 = 18
☆ = □ ♡ = □

☆ × ♡ = 16
♡ × 6 = 48
☆ = □ ♡ = □

5 일차 □가 있는 식 만들기

다음을 읽고 □를 사용하여 곱셈식을 만들고, □를 구하세요.

우현이네 집에 있는 어미 강아지가 밤새 새끼를 낳았습니다. 우현이는 가족들과 둘러 모여 강아지를 구경했습니다. 아직 눈도 뜨지 못한 새끼 강아지들이 너무나 귀여웠습니다.

어미 강아지는 새끼를 여러 마리 낳았는데, 새끼 강아지의 다리 수를 세어보니 모두 20개였습니다.

우현이네 집에 있는 새끼 강아지는 모두 몇 마리일까요?

식 : □ × 4 = 20

 마리

 다음을 읽고 □를 사용하여 곱셈식을 만들고, □를 구하세요.

가빈이는 수학 문제집을 하루에 3장씩 풀었습니다. 모두 21장을 풀었다면 가빈이는 며칠 동안 문제집을 풀었을까요?

식 :

 일

지선이는 바구니에 귤을 8개씩 담으려고 합니다. 귤이 모두 48개 있다면 바구니가 몇 개 필요할까요?

식 :

다음을 읽고 □를 사용하여 곱셈식을 만들고, □를 구하세요.

현경이는 주머니에 구슬을 5개씩 담으려고 합니다. 구슬이 모두 30개 있다면 주머니는 몇 개 필요할까요?

식 :

□ 개

현주네 농장에 있는 오리의 다리 수를 세어보니 모두 16개였습니다. 현주네 농장에 있는 오리는 모두 몇 마리일까요?

식 :

□ 마리

자전거 가게에 있는 세 발 자전거의 바퀴를 세어보니 모두 18개였습니다. 자전거 가게에 있는 세 발 자전거는 모두 몇 대일까요?

식 :

□ 대

다음을 읽고 □를 사용하여 곱셈식을 만들고, □를 구하세요.

문방구에서 스케치북을 매일 5권씩 팔았습니다. 모두 25권을 팔았다면 스케치북을 며칠 동안 팔았을까요?

식 :

□ 일

쌓기 나무가 81개 있습니다. 한 층에 9개씩 쌓는다면 모두 몇 층으로 쌓을 수 있을까요?

식 :

□ 층

준성이의 엄마는 준성이 나이의 5배입니다. 준성이 엄마의 나이가 35살이라면 준성이는 몇 살일까요?

식 :

□ 살

Note

소마셈 B8 - 3주차

규칙과 나눗셈

매트릭스

빈칸에는 가로와 세로에 쓰인 두 수의 곱이 들어갑니다. 빈칸에 알맞은 수를 써넣으세요.

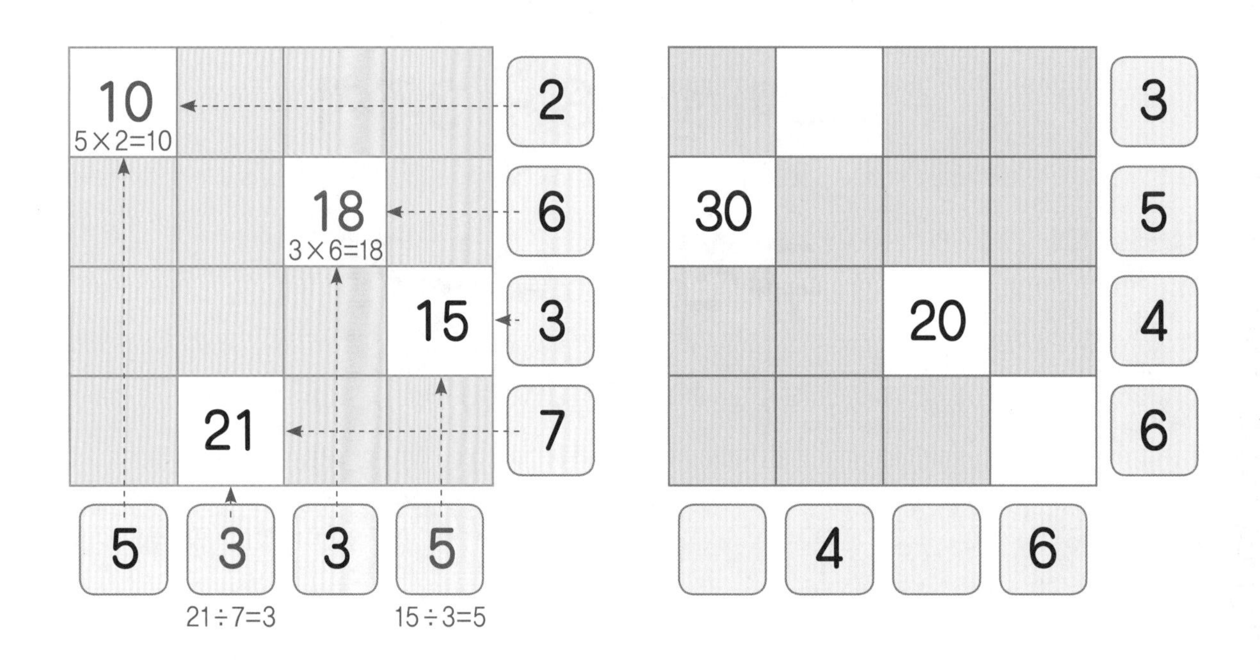

				8
				2
	35			7
16				4
		9	1	

		14		2
	24			6
				5
				3
5			7	

빈칸에는 가로와 세로에 쓰인 두 수의 곱이 들어갑니다. 빈칸에 알맞은 수를 써넣으세요.

3				3
	20			5
		27		9
			10	2
1	4	3	5	

				6
				7
			9	1
32				4
	2	8		

		9		3
48				6
				4
				8
	5		7	

16				2
		32		8
				3
				5
	6		8	

빈칸에는 가로와 세로에 쓰인 두 수의 곱이 들어갑니다. 빈칸에 알맞은 수를 써넣으세요.

		5		1
	18			3
			12	4
25				5
5	6	5	3	

		16		2
	24			4
24				8
			27	3

42				7
		12		2
	35			5
			36	4

18				6
		15		3
			32	4
	20			5

나눗셈 블럭

위의 두 수를 나눗셈한 몫이 바로 아래의 수가 되도록 빈칸에 알맞은 수를 써넣으세요.

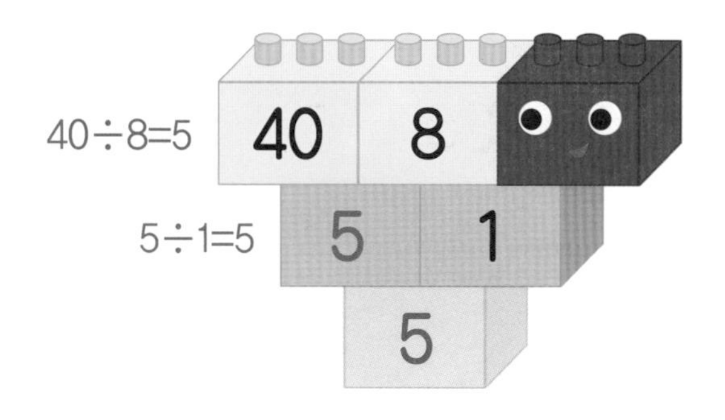

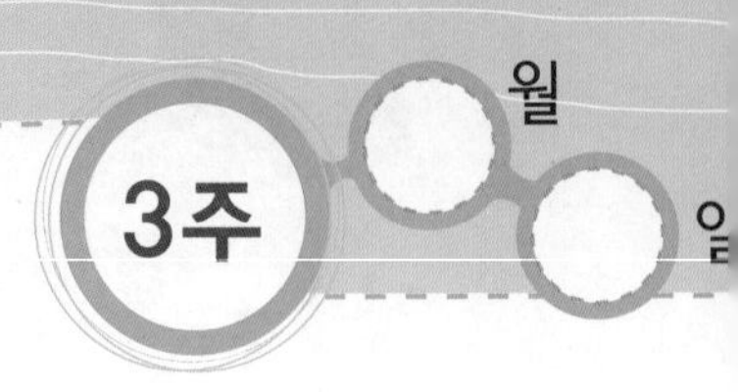

 위의 두 수를 나눗셈한 몫이 바로 아래의 수가 되도록 빈칸에 알맞은 수를 써넣으세요.

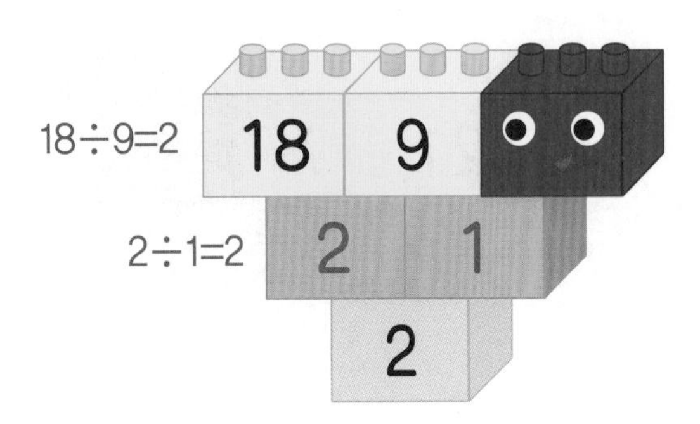

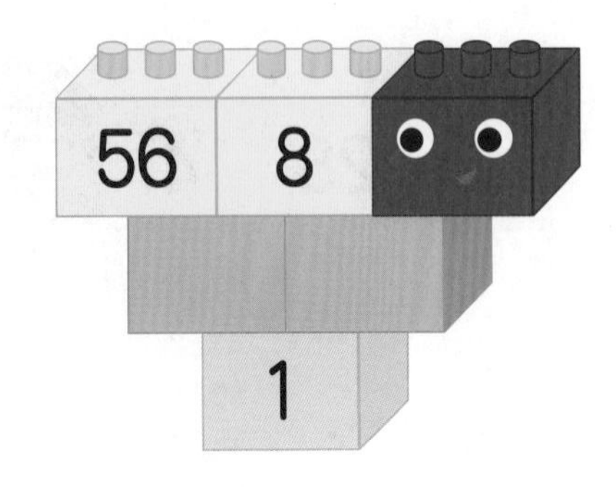

삼각형 나눗셈

안에는 각 줄의 △안의 두 수를 나눗셈한 몫이 들어갑니다. 안에 알맞은 수를 써넣으세요.

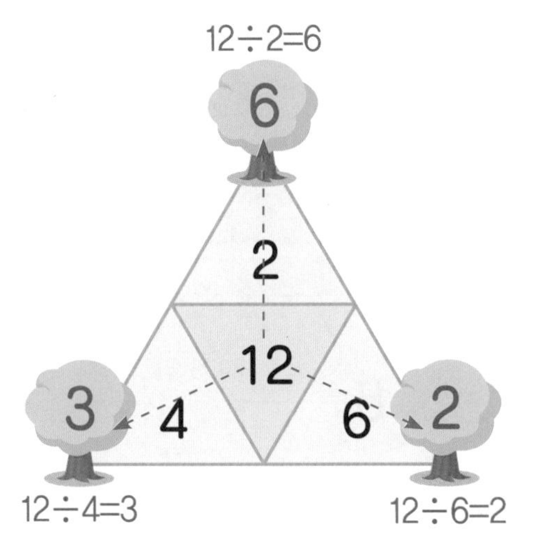

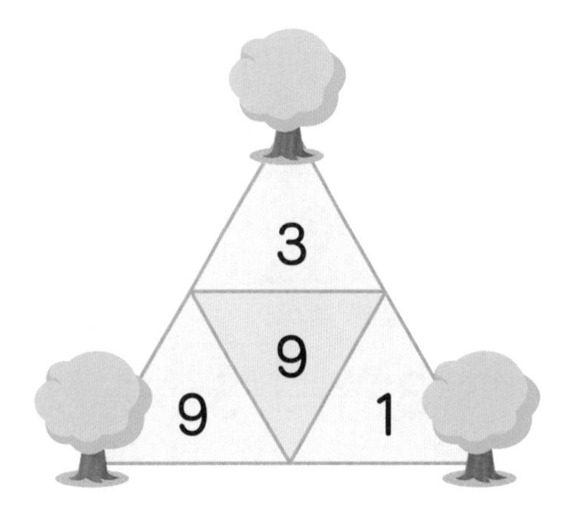

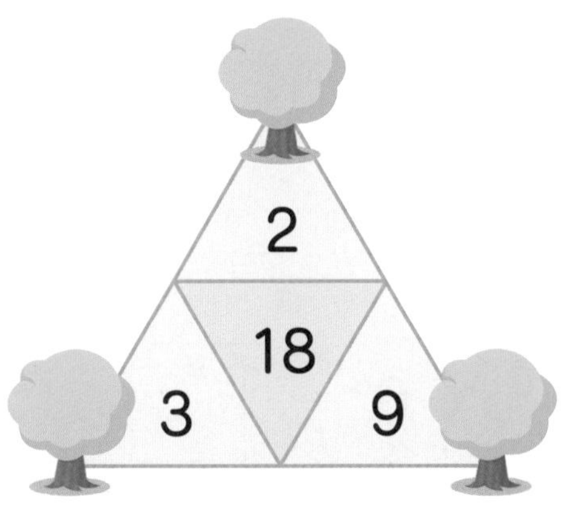

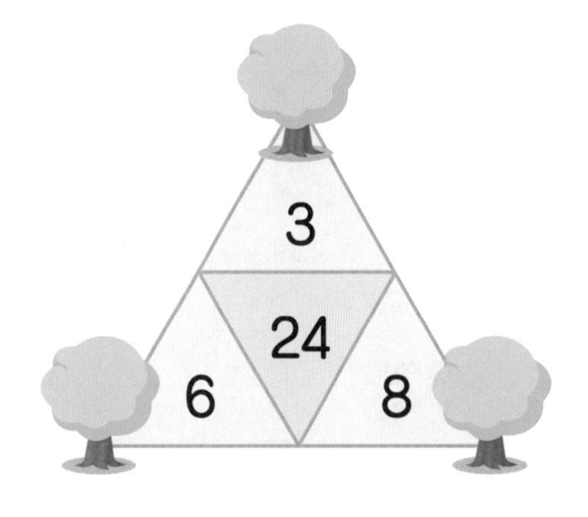

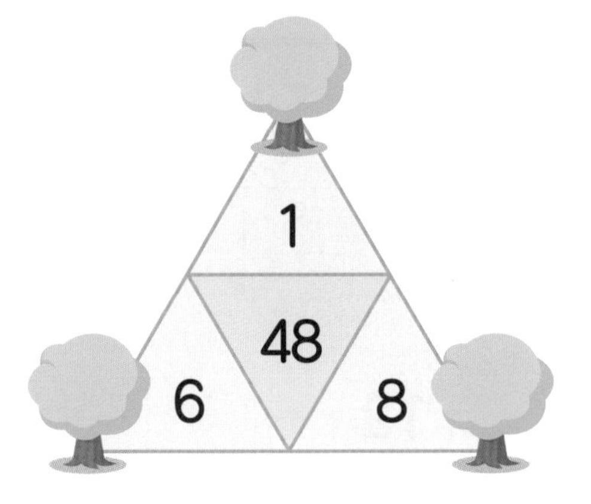

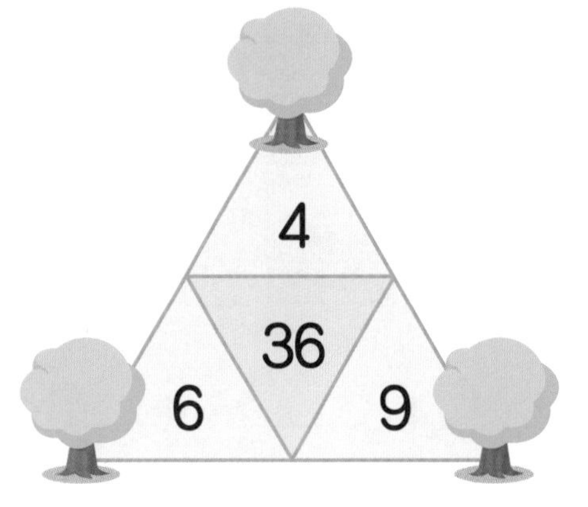

선으로 이어진 ○ 안의 두 수를 나눗셈하여 □ 안에 알맞은 수를 써넣으세요.

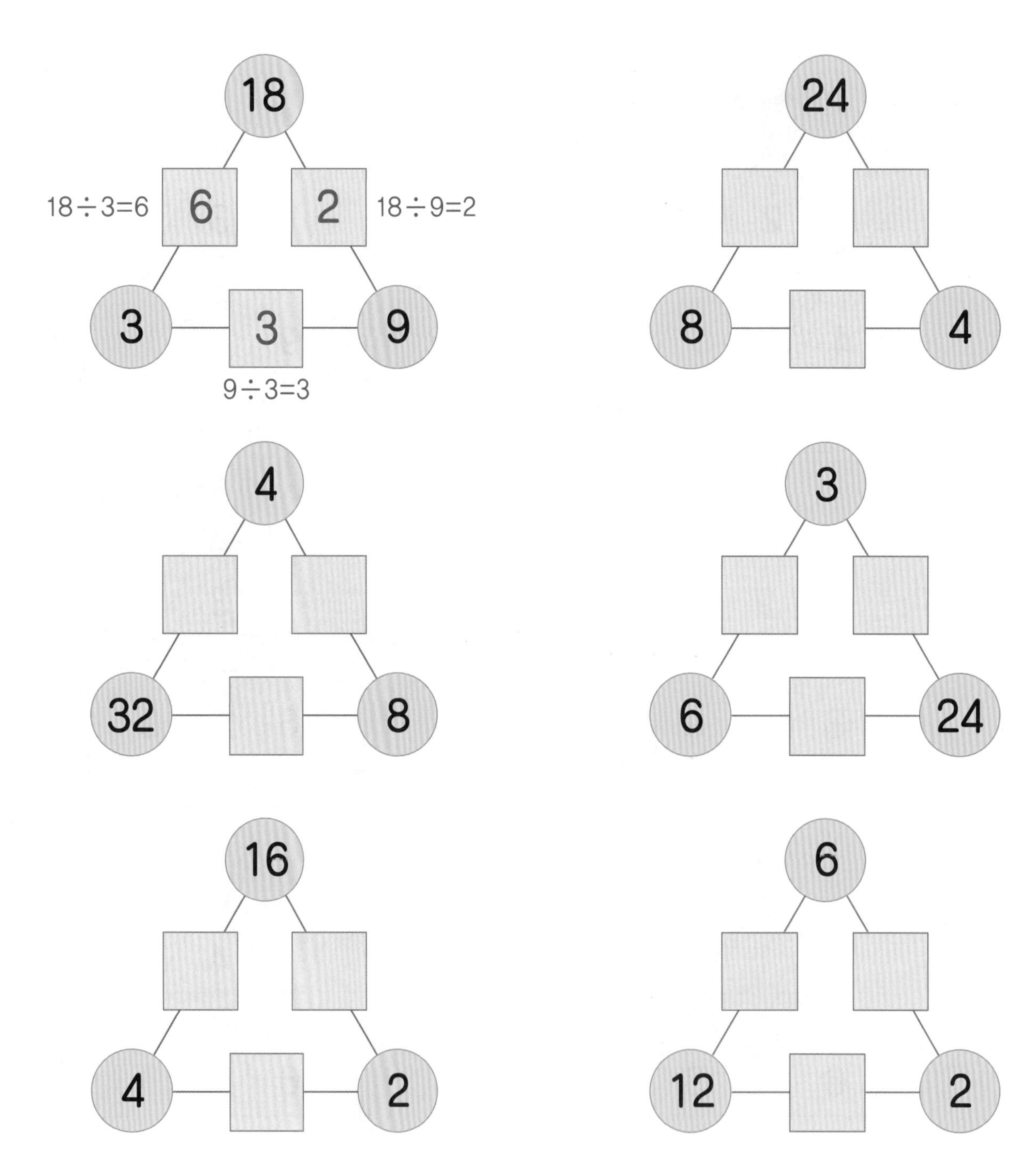

화살표 약속

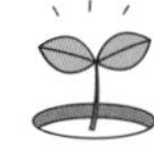
규칙에 맞게 빈칸에 알맞은 수를 써넣으세요.

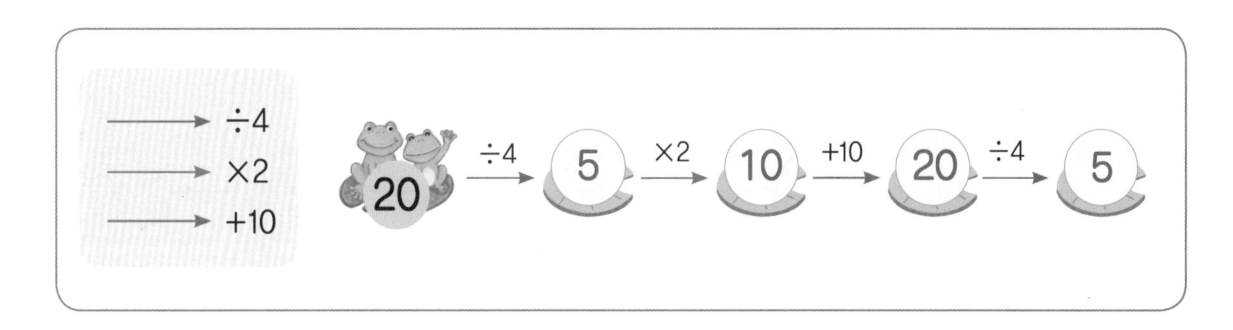

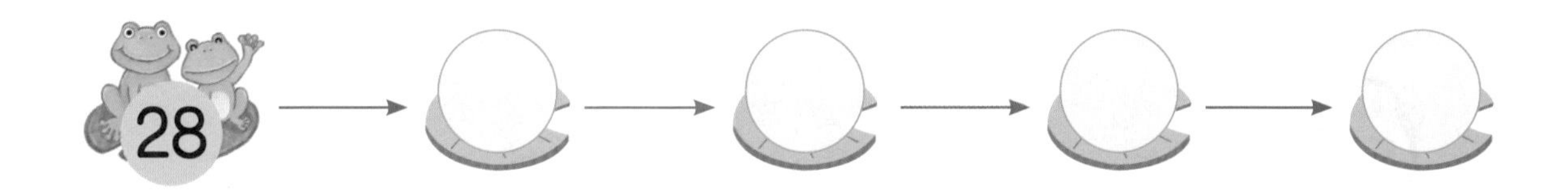

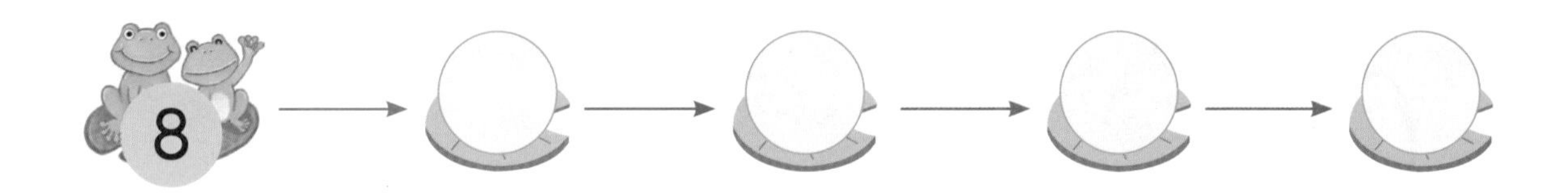

36

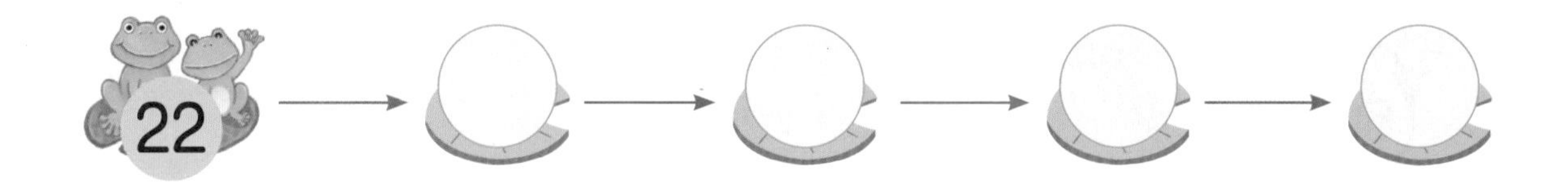

 규칙에 맞게 빈칸에 알맞은 수를 써넣으세요.

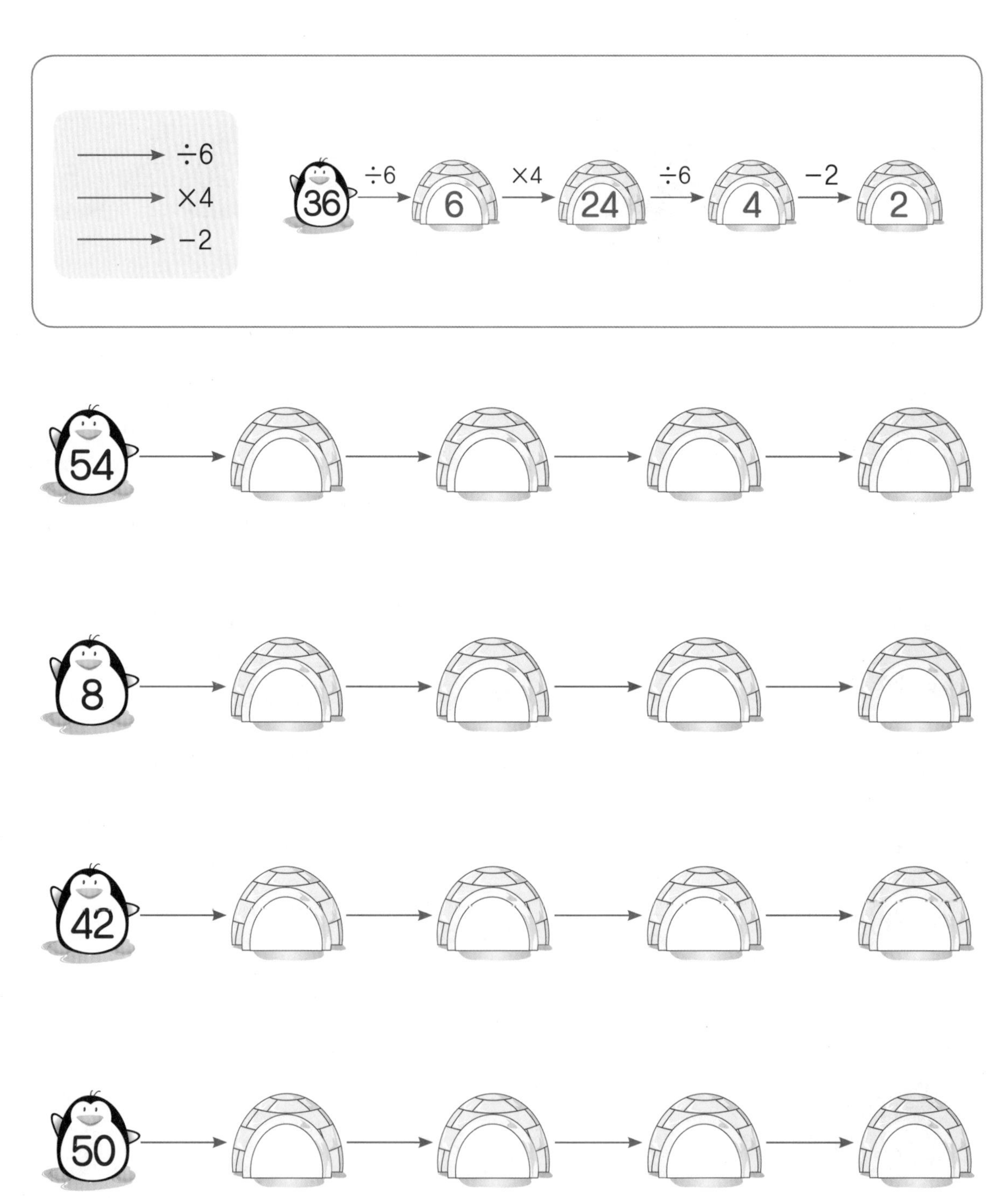

사다리 타기

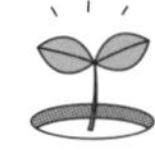 사다리를 타고 내려와 □ 안에 알맞은 수를 써넣으세요.

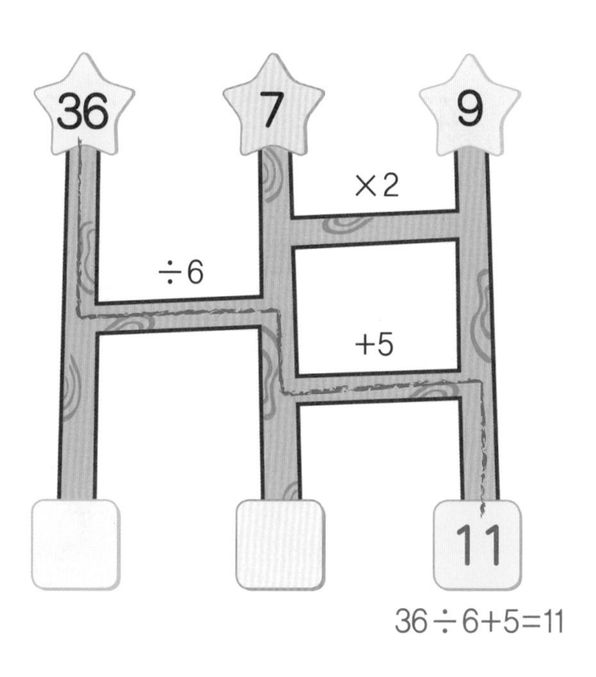

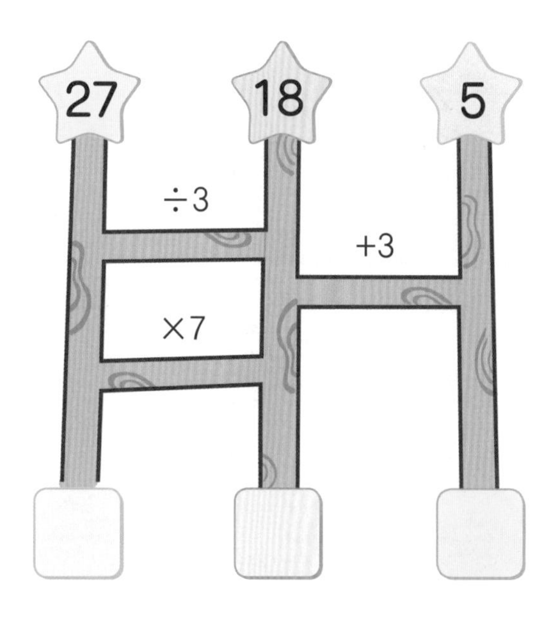

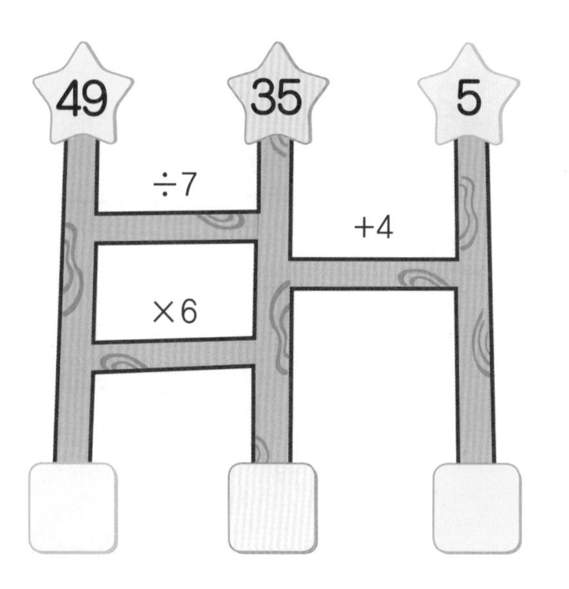

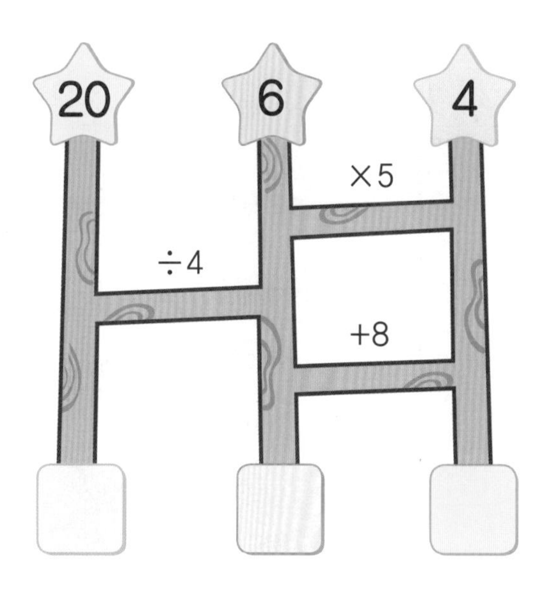

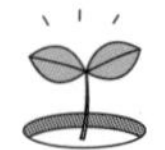
사다리를 타고 내려와 □ 안에 알맞은 수를 써넣으세요.

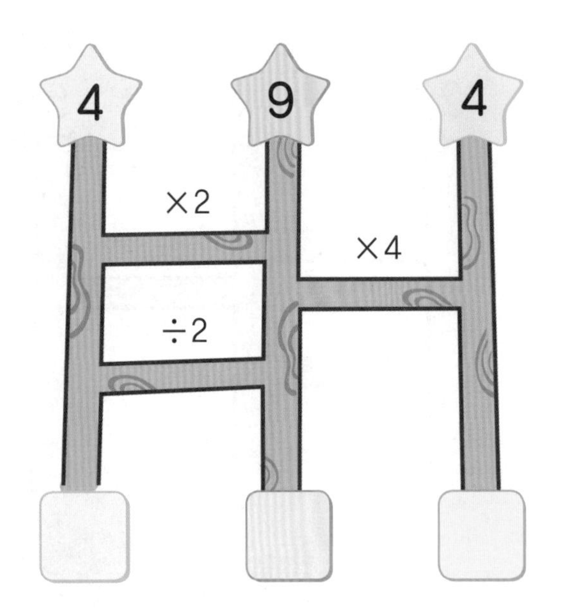

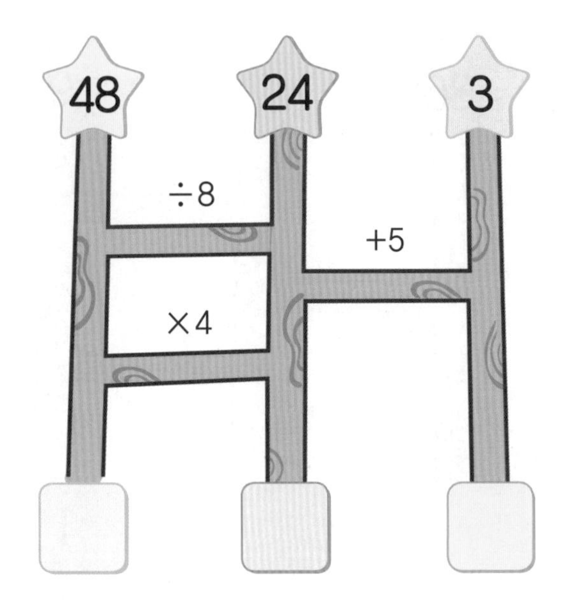

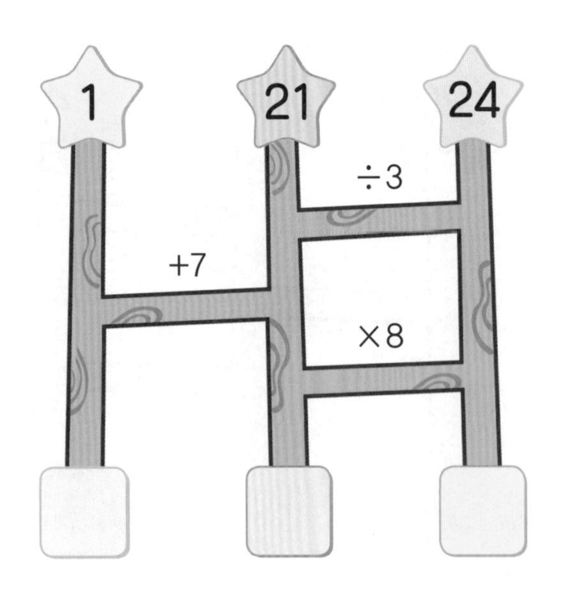

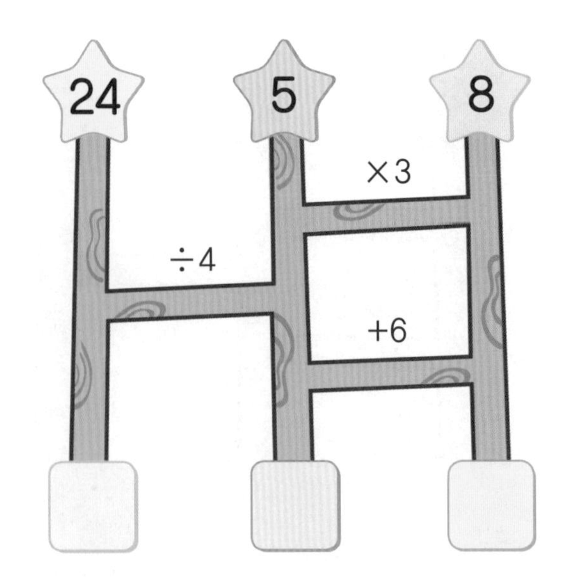

소마셈 B8 – 4주차

나눗셈식 만들기

목표수 만들기 (1)

두 수를 나눗셈한 몫이 ◯ 안의 수가 되도록 두 수를 찾아 선으로 이어 보세요.

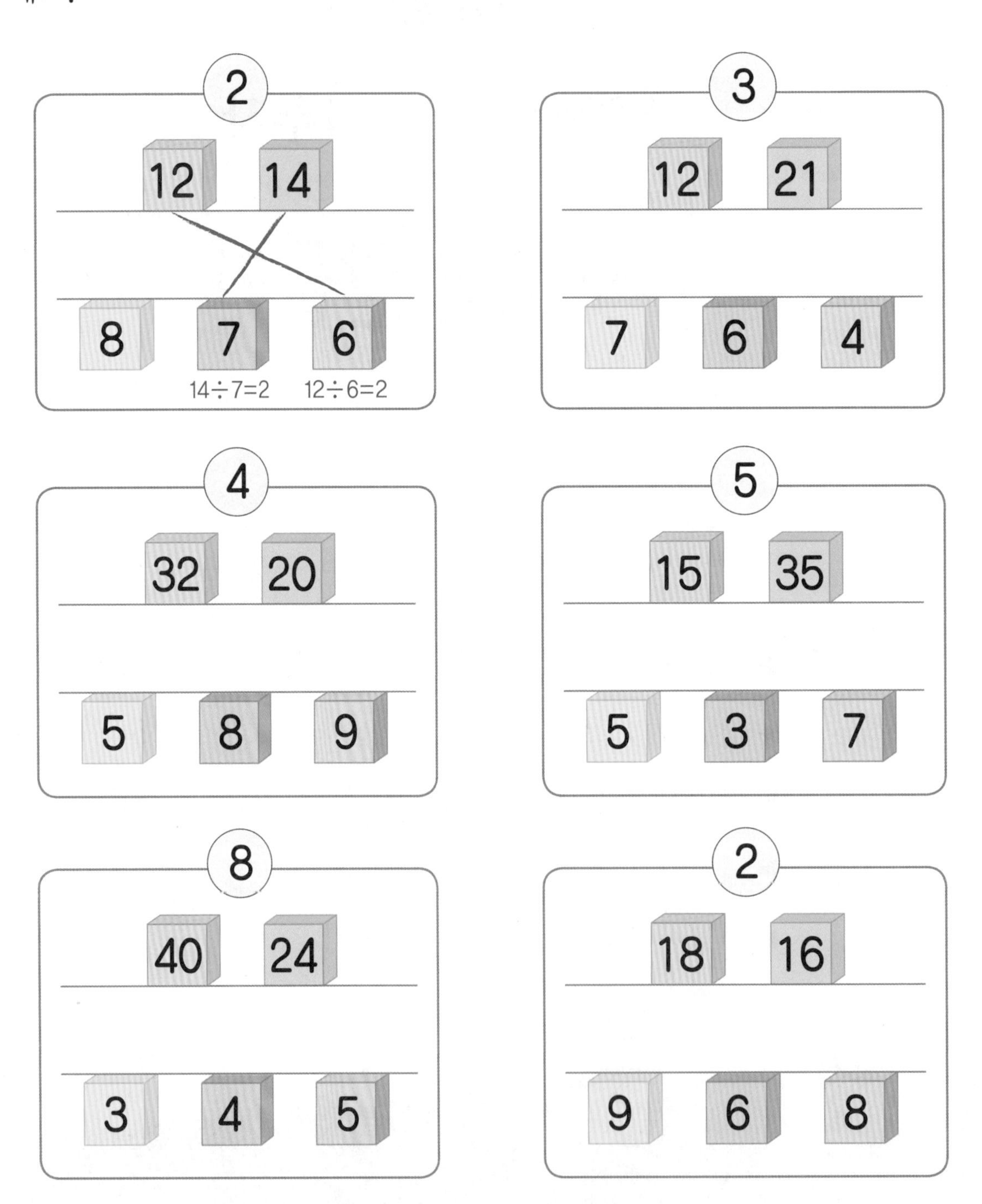

두 수를 나눗셈한 몫이 ◯ 안의 수가 되도록 두 수를 찾아 선으로 이어 보세요.

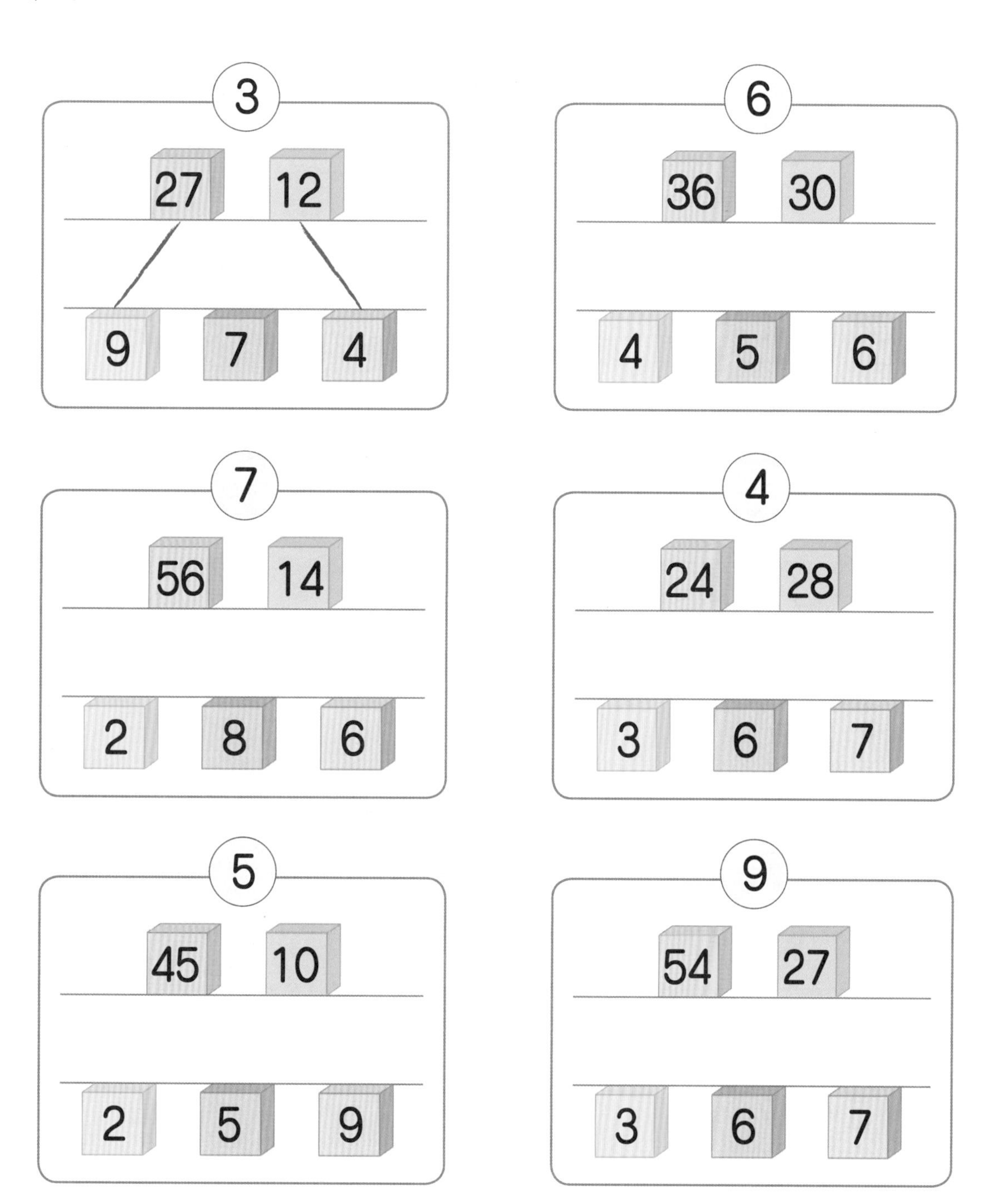

목표수 만들기 (2)

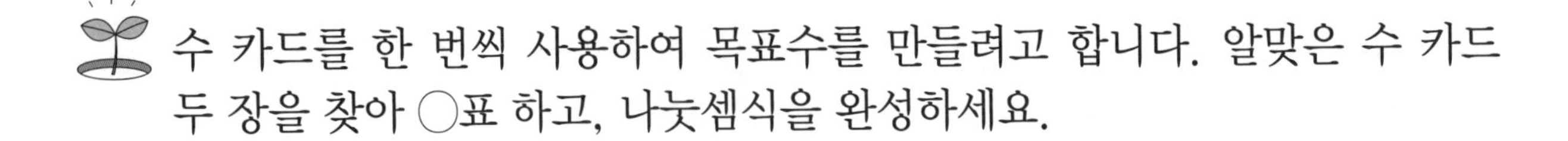

수 카드를 한 번씩 사용하여 목표수를 만들려고 합니다. 알맞은 수 카드 두 장을 찾아 ○표 하고, 나눗셈식을 완성하세요.

5 28 35 7 → $35 \div 7 = 5$

36 4 24 7 → $\square \div 6 = \square$

5 40 4 36 → $\square \div \square = 9$

8 21 7 32 → $\square \div \square = 4$

18 16 8 6 → $\square \div 2 = \square$

15 7 29 5 → $\square \div \square = 3$

수 카드를 한 번씩 사용하여 목표수를 만들려고 합니다. 알맞은 수 카드 두 장을 찾아 ○표 하고, 나눗셈식을 완성하세요.

수 카드	나눗셈식
(48) (8) 37 5	48 ÷ 8 = 6
45 35 6 7	☐ ÷ ☐ = 5
18 29 3 9	☐ ÷ 6 = ☐
26 8 32 9	☐ ÷ 4 = ☐
3 64 9 72	☐ ÷ ☐ = 8
5 36 45 6	☐ ÷ ☐ = 9

도형이 나타내는 수 (1)

다음 식에서 같은 도형은 같은 수를, 다른 도형은 서로 다른 수를 나타냅니다. 식을 보고 도형이 나타내는 알맞은 수를 찾아 □ 안에 써넣으세요.

48 ÷ ●(6) = 8
2 × ■(3) = ●(6)
■ = 3 ● = 6

36 ÷ ● = 4
9 × ■ = ●
■ = □ ● = □

7 × ● = 49
35 ÷ ● = ■
■ = □ ● = □

6 × ● = 24
32 ÷ ■ = ●
■ = □ ● = □

63 ÷ ● = 9
3 × ● = ■
■ = □ ● = □

8 × ● = 24
27 ÷ ● = ■
■ = □ ● = □

다음 식에서 같은 도형은 같은 수를, 다른 도형은 서로 다른 수를 나타냅니다. 식을 보고 도형이 나타내는 알맞은 수를 찾아 □ 안에 써넣으세요.

24 ÷ ♥ = 4
6 × ★ = ♥
★ = □ ♥ = □

42 ÷ ♥ = 7
54 ÷ ★ = ♥
★ = □ ♥ = □

2 × ♥ = 16
32 ÷ ★ = ♥
★ = □ ♥ = □

5 × ♥ = 25
40 ÷ ♥ = ★
★ = □ ♥ = □

4 × ♥ = 16
20 ÷ ♥ = ★
★ = □ ♥ = □

48 ÷ ♥ = 6
8 × ♥ = ★
★ = □ ♥ = □

도형이 나타내는 수 (2)

 다음 식에서 같은 도형은 같은 수를, 다른 도형은 서로 다른 수를 나타냅니다. 식을 보고 도형이 나타내는 알맞은 수를 찾아 □ 안에 써넣으세요.

20 ÷ △(5) = 4
45 ÷ △(5) = ⬠(9)
□(18) ÷ ⬠(9) = 2

24 ÷ △ = 3
△ × ⬠ = 32
□ ÷ ⬠ = 7

36 ÷ △ = 6
△ × ⬠ = 30
□ ÷ ⬠ = 5

12 ÷ △ = 4
18 ÷ ⬠ = △
□ ÷ ⬠ = 5

48 ÷ ⬠ = 6
△ × ⬠ = 16
△ × □ = 18

40 ÷ ⬠ = 5
56 ÷ ⬠ = △
5 × △ = □

다음 식에서 같은 도형은 같은 수를, 다른 도형은 서로 다른 수를 나타냅니다. 식을 보고 도형이 나타내는 알맞은 수를 찾아 □ 안에 써넣으세요.

54 ÷ ⬢ = 6 ⬢ × ◆ = 27 □ ÷ ◆ = 3	20 ÷ ◆ = 5 ⬢ × ◆ = 28 ⬢ × □ = 49
32 ÷ ⬢ = 8 8 ÷ ⬢ = ◆ □ ÷ ◆ = 7	27 ÷ ⬢ = 9 ⬢ × ◆ = 24 □ ÷ ◆ = 1
24 ÷ ⬢ = 4 30 ÷ ⬢ = ◆ ◆ × □ = 5	49 ÷ ◆ = 7 ◆ ÷ ⬢ = 7 □ ÷ ⬢ = 5

□가 있는 식 만들기

다음을 읽고 □를 사용하여 식을 만들고, 바르게 계산한 값을 구하세요.

어떤 수에 3을 곱해야 할 것을 잘못하여 더하였더니 12가 되었습니다. 바르게 계산하면 얼마일까요?

잘못된 계산 : □ + 3 = 12, □ = 9

바른 계산 : 9 × 3 = 27

어떤 수에 8을 곱해야 할 것을 잘못하여 더하였더니 11이 되었습니다. 바르게 계산하면 얼마일까요?

잘못된 계산 :

바른 계산 :

어떤 수를 □로 놓고 식을 만듭니다. 잘못된 계산을 이용하여 □를 먼저 구한 후, 바르게 계산한 값을 알아냅니다.

다음을 읽고 □를 사용하여 식을 만들고, 바르게 계산한 값을 구하세요.

어떤 수에 4를 곱해야 할 것을 잘못하여 뺐더니 5가 되었습니다. 바르게 계산하면 얼마일까요?

잘못된 계산 : $\square - 4 = 5$, $\square = 9$

바른 계산 : $9 \times 4 = 36$

어떤 수에 5를 곱해야 할 것을 잘못하여 뺐더니 1이 되었습니다. 바르게 계산하면 얼마일까요?

잘못된 계산 :

바른 계산 :

다음을 읽고 □를 사용하여 식을 만들고, 바르게 계산한 값을 구하세요.

어떤 수에 5를 곱해야 할 것을 잘못하여 더하였더니 10이 되었습니다. 바르게 계산하면 얼마일까요?

잘못된 계산 :

바른 계산 :

어떤 수에 4를 곱해야 할 것을 잘못하여 더하였더니 11이 되었습니다. 바르게 계산하면 얼마일까요?

잘못된 계산 :

바른 계산 :

어떤 수에 6을 곱해야 할 것을 잘못하여 더하였더니 14가 되었습니다. 바르게 계산하면 얼마일까요?

잘못된 계산 :

바른 계산 :

다음을 읽고 □를 사용하여 식을 만들고, 바르게 계산한 값을 구하세요.

어떤 수에 7을 곱해야 할 것을 잘못하여 뺐더니 2가 되었습니다. 바르게 계산하면 얼마일까요?

잘못된 계산 :

바른 계산 :

어떤 수에 6을 곱해야 할 것을 잘못하여 뺐더니 1이 되었습니다. 바르게 계산하면 얼마일까요?

잘못된 계산 :

바른 계산 :

어떤 수에 4를 곱해야 할 것을 잘못하여 뺐더니 3이 되었습니다. 바르게 계산하면 얼마일까요?

잘못된 계산 :

바른 계산 :

Note

보충학습

Drill

규칙과 곱셈

빈칸에는 가로와 세로에 쓰인 두 수의 곱이 들어갑니다. 빈칸에 알맞은 수를 써 넣으세요.

				5
				3
				7
				8
2	4	5	6	

				7
				6
				4
				3
8	5	2	9	

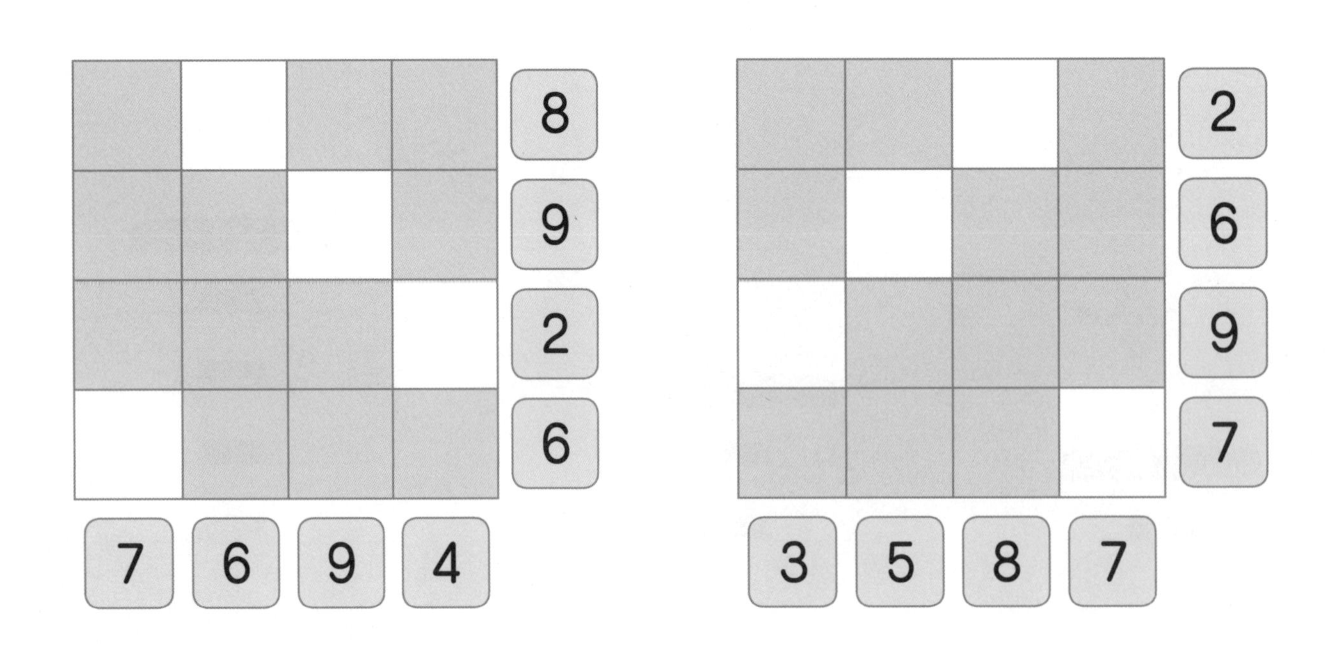

빈칸에는 가로와 세로에 쓰인 두 수의 곱이 들어갑니다. 빈칸에 알맞은 수를 써넣으세요.

				2
				6
				8
				3
9	9	4	5	

				3
				5
				6
				4
6	6	7	2	

				5
				3
				6
				6
4	2	8	7	

				6
				5
				7
				4
7	3	4	8	

빈칸에는 가로와 세로에 쓰인 두 수의 곱이 들어갑니다. 빈칸에 알맞은 수를 써 넣으세요.

18				9
				8
		21		7
				3
	6		5	

		24		6
	16			
				5
				8
4	2		4	

		56		7
25				5
				3
				6
	5		9	

빈칸에는 가로와 세로에 쓰인 두 수의 곱이 들어갑니다. 빈칸에 알맞은 수를 써 넣으세요.

				3
42				6
				4
	49			7
		8	4	

				9
				6
	27			3
			14	2
4		8		

				8
				2
			32	4
24				6
	6	5		

				4
		27		3
	12			6
				7
5			8	

곱셈식 만들기

숫자 카드를 한 번씩 사용하여 목표수를 만들려고 합니다. 두 수의 곱이 ○ 안의 수가 되는 알맞은 숫자 카드 두 장을 찾아 빈칸에 써넣으세요.

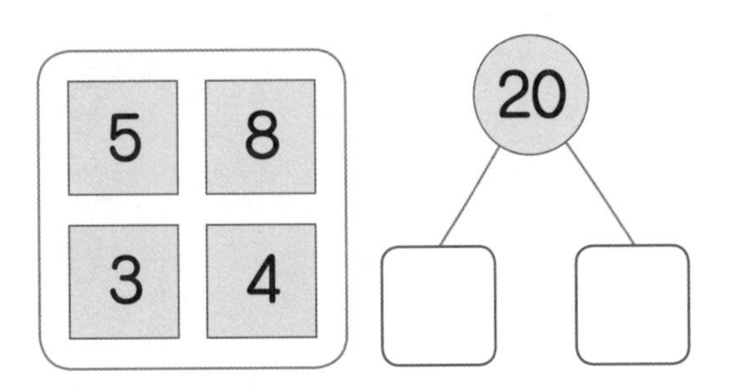

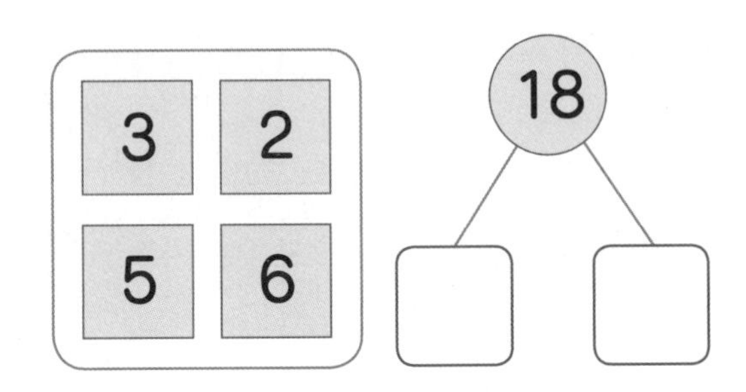

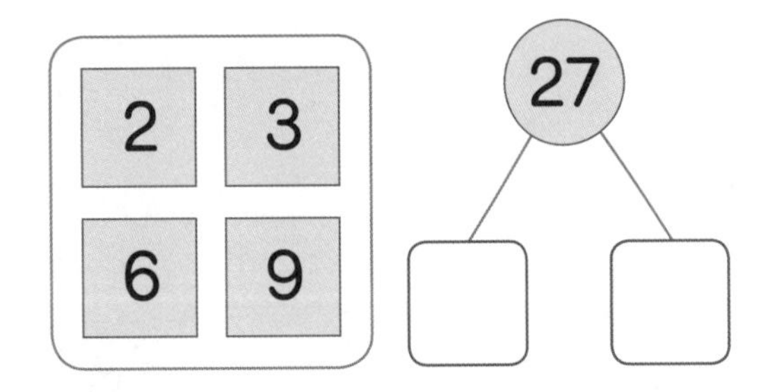

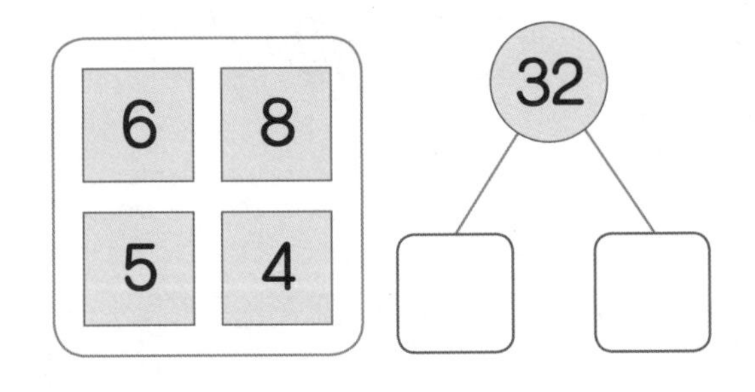

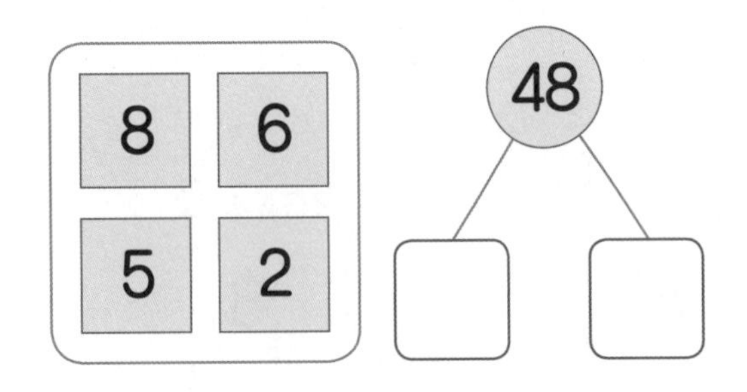

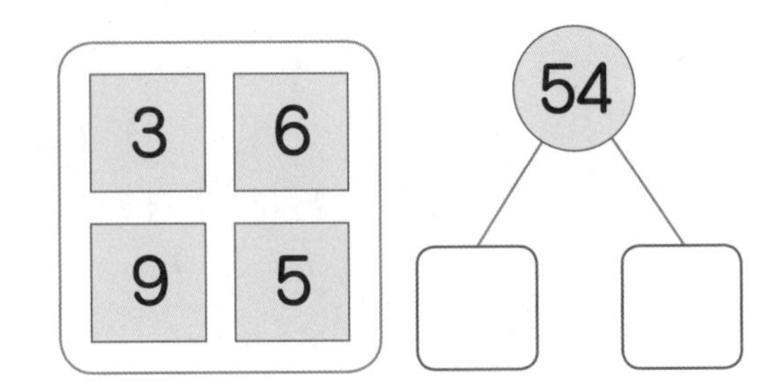

숫자 카드를 한 번씩 사용하여 목표수를 만들려고 합니다. 두 수의 곱이 ◯ 안의 수가 되는 알맞은 숫자 카드 두 장을 찾아 빈칸에 써넣으세요.

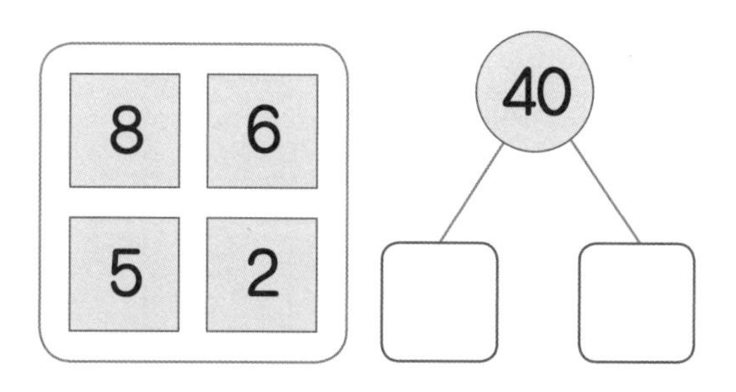

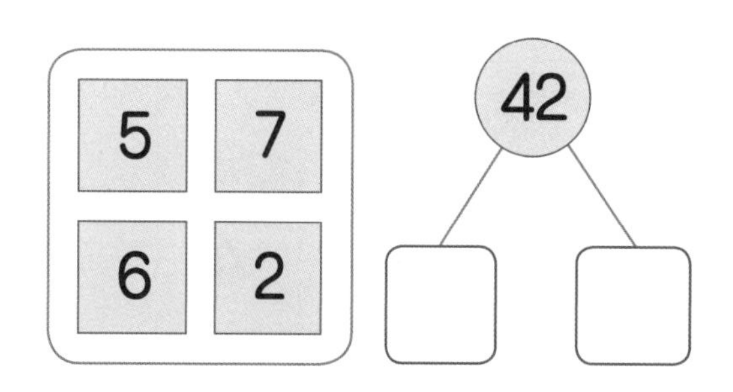

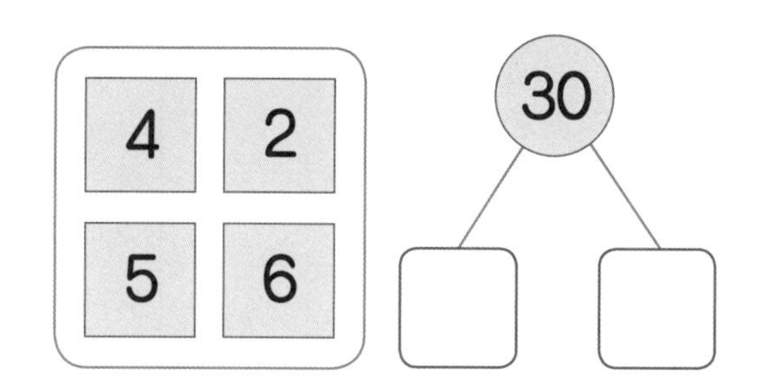

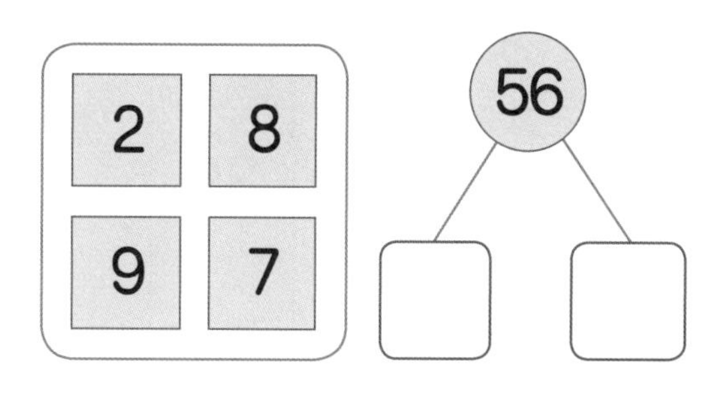

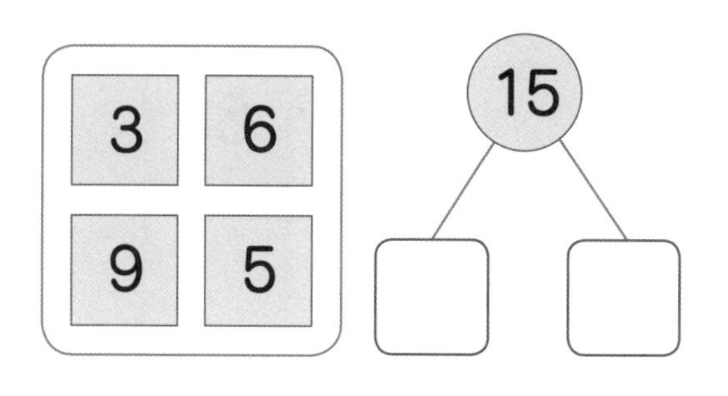

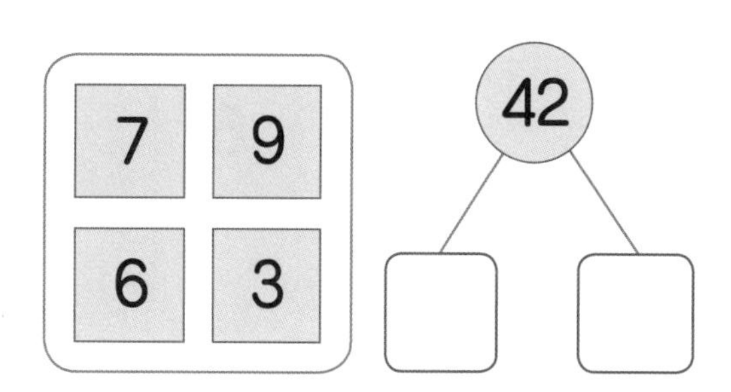

다음 곱셈표에서 ○와 □는 서로 다른 수를 나타냅니다. 곱셈표를 보고 도형이 나타내는 알맞은 수를 찾아 빈칸에 써넣으세요.

×	□	○
○		4
3	24	

×	□	3
○		9
□	25	

×	□	○
○		36
7	14	

×	□	6
□	16	
○		42

×	□	2
○		6
□	49	

×	□	○
○		64
6	30	

다음 곱셈표에서 ○와 □는 서로 다른 수를 나타냅니다. 곱셈표를 보고 도형이 나타내는 알맞은 수를 찾아 빈칸에 써넣으세요.

×	□	8
○		16
□	16	

×	□	○
○		81
5	10	

×	□	○
○		49
5	20	

×	□	5
□	9	
○		30

×	□	○
○		25
8	32	

×	□	7
○		28
□	25	

규칙과 나눗셈

빈칸에는 가로와 세로에 쓰인 두 수의 곱이 들어갑니다. 빈칸에 알맞은 수를 써 넣으세요.

				3
	30			5
				7
			18	9
8		7		

25				5
		32		4
				8
				2
	2		6	

				6
				4
			24	3
	45			5
7		4		

			27	9
				3
				8
42				7
	5	6		

빈칸에는 가로와 세로에 쓰인 두 수의 곱이 들어갑니다. 빈칸에 알맞은 수를 써 넣으세요.

		16		8
				3
				2
35				5
	8		4	

				3
	36			4
				6
			14	7
4		6		

				7
				9
	40			5
			27	3
4		6		

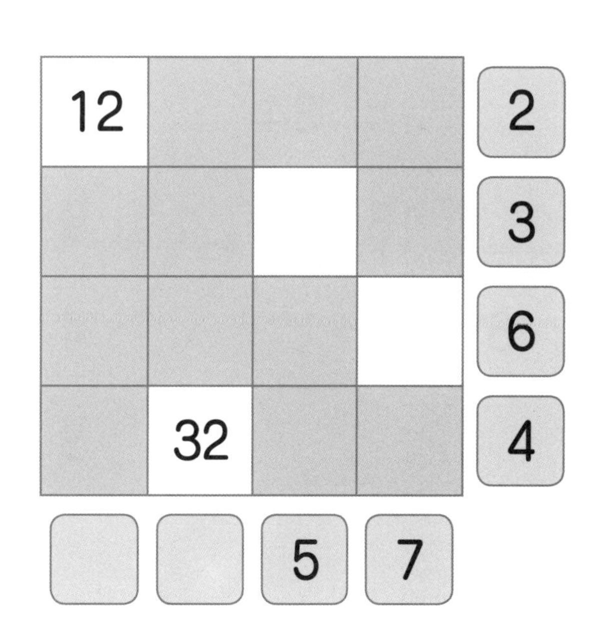

빈칸에는 가로와 세로에 쓰인 두 수의 곱이 들어갑니다. 빈칸에 알맞은 수를 써 넣으세요.

	10			2
15				5
		32		4
			16	8

18				2
		35		5
			14	7
	28			4

		24		3
	18			9
8				4
			27	3

			40	8
		4		2
	12			6
20				5

빈칸에는 가로와 세로에 쓰인 두 수의 곱이 들어갑니다. 빈칸에 알맞은 수를 써 넣으세요.

9				3
	16			4
		30		6
			35	5

		10		2
	49			7
			36	6
20				4

		18		3
25				5
			18	9
	14			2

21				7
		36		4
	35			5
			56	8

나눗셈식 만들기

수 카드를 한 번씩 사용하여 목표수를 만들려고 합니다. 알맞은 수 카드 두 장을 찾아 ○표 하고, 나눗셈식을 완성하세요.

4 28 30 6

□ ÷ 5 = □

32 8 24 7

□ ÷ 4 = □

5 24 4 54

□ ÷ □ = 6

21 27 7 5

□ ÷ □ = 3

72 53 9 6

□ ÷ 8 = □

14 7 49 5

□ ÷ □ = 7

수 카드를 한 번씩 사용하여 목표수를 만들려고 합니다. 알맞은 수 카드 두 장을 찾아 ○표 하고, 나눗셈식을 완성하세요.

45	9	20	6

$\square \div \square = 5$

32	24	6	7

$\square \div \square = 4$

18	6	5	12

$\square \div 2 = \square$

12	8	32	4

$\square \div 3 = \square$

6	63	7	81

$\square \div \square = 9$

9	35	45	5

$\square \div \square = 7$

다음 식에서 같은 도형은 같은 수를, 다른 도형은 서로 다른 수를 나타냅니다.
식을 보고 도형이 나타내는 알맞은 수를 찾아 □ 안에 써넣으세요.

30 ÷ ● = 5
2 × ■ = ●

■ = □ ● = □

14 ÷ ● = 7
8 ÷ ■ = ●

■ = □ ● = □

6 × ● = 48
40 ÷ ● = ■

■ = □ ● = □

4 × ● = 36
27 ÷ ■ = ●

■ = □ ● = □

45 ÷ ● = 9
35 ÷ ● = ■

■ = □ ● = □

7 × ● = 21
18 ÷ ● = ■

■ = □ ● = □

다음 식에서 같은 도형은 같은 수를, 다른 도형은 서로 다른 수를 나타냅니다.
식을 보고 도형이 나타내는 알맞은 수를 찾아 □ 안에 써넣으세요.

28 ÷ ▲ = 4
14 ÷ ⬟ = ▲
▲ = □ ⬟ = □

30 ÷ ▲ = 6
45 ÷ ⬟ = ▲
▲ = □ ⬟ = □

9 × ▲ = 36
32 ÷ ⬟ = ▲
▲ = □ ⬟ = □

7 × ▲ = 42
30 ÷ ▲ = ⬟
▲ = □ ⬟ = □

3 × ▲ = 24
16 ÷ ▲ = ⬟
▲ = □ ⬟ = □

14 ÷ ▲ = 2
28 ÷ ▲ = ⬟
▲ = □ ⬟ = □

Note

소마의 마술같은 원리셈

정답

P 10 ~ 11

1일차 매트릭스

빈칸에는 가로와 세로에 쓰인 두 수의 곱이 들어갑니다. 빈칸에 알맞은 수를 써넣으세요.

16 (8×2=16)				2
		28 (4×7=28)		7
			20 (5×4=20)	4
	15 (3×5=15)			5
8	3	4	5	

	16			8
18				3
		20		4
			42	7
6	2	5	6	

			27	9
		16		4
	36			6
16				8
2	6	4	3	

		12		6
	35			5
21				7
			36	4
3	7	2	9	

빈칸에는 가로와 세로에 쓰인 두 수의 곱이 들어갑니다. 빈칸에 알맞은 수를 써넣으세요.

49				7
	48			8
		36		9
			9	3
7	6	4	3	

		9		3
	14			7
			20	5
54				6
9	2	3	4	

		24		3
18				6
			36	4
	15			3
3	5	8	9	

8				2
		64		8
	25			5
			21	3
4	5	8	7	

P 12 ~ 13

빈칸에는 가로와 세로에 쓰인 두 수의 곱이 들어갑니다. 빈칸에 알맞은 수를 써넣으세요.

		18		9
	15			3
			32	8
30				5
6	5	2	4	

		42		6
	24			4
40				5
			18	3
8	6	7	6	

81				9
		27		3
	25			5
			64	8
9	5	9	8	

49				7
		54		6
			21	3
	20			5
7	4	9	7	

2일차 사각형 곱셈

○ 안에는 각 줄의 □ 안의 두 수의 곱이 들어갑니다. ○ 안에 알맞은 수를 써넣으세요.

8	2	16 (8×2=16)
4	6	24 (4×6=24)
32 (8×4=32)	12 (2×6=12)	

7	5	35
4	9	36
28	45	

9	3	27
6	7	42
54	21	

8	2	16
4	9	36
32	18	

3	6	18
7	6	42
21	36	

7	7	49
8	5	40
56	35	

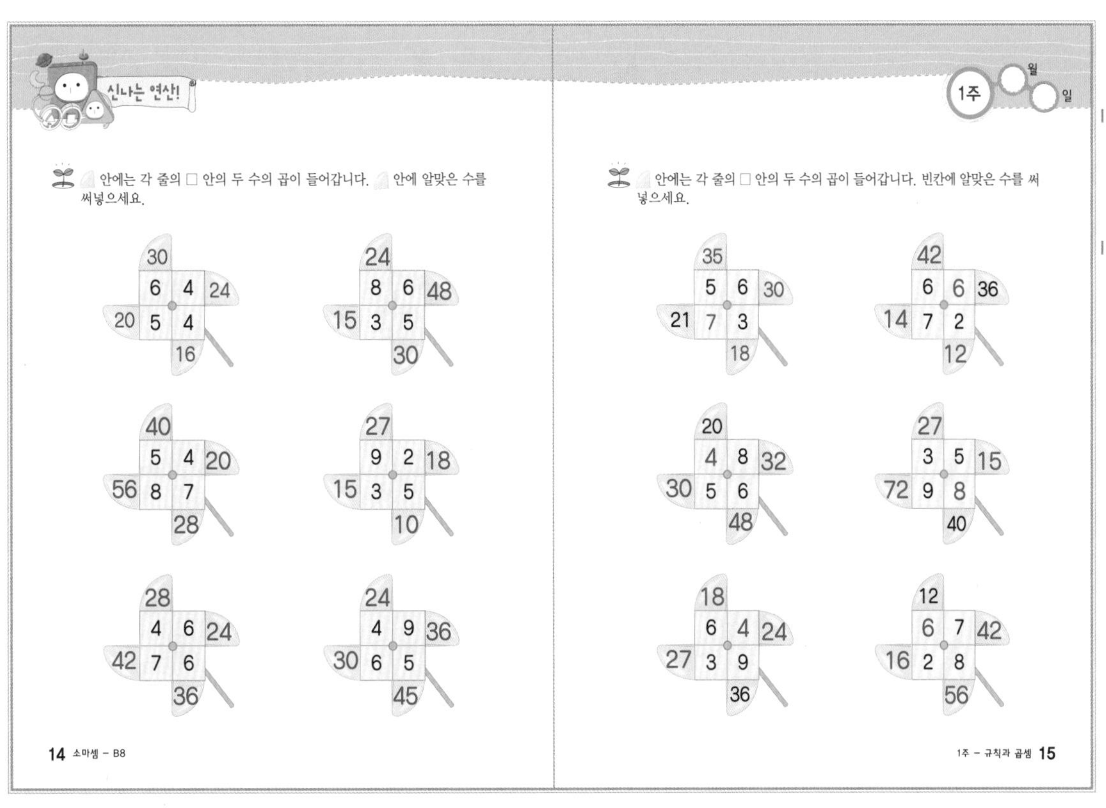
신나는 연산!

안에는 각 줄의 □ 안의 두 수의 곱이 들어갑니다. 안에 알맞은 수를 써넣으세요.

14 소마셈 - B8

1주 월 일

안에는 각 줄의 □ 안의 두 수의 곱이 들어갑니다. 빈칸에 알맞은 수를 써넣으세요.

1주 - 규칙과 곱셈 15

P 14 ~ 15

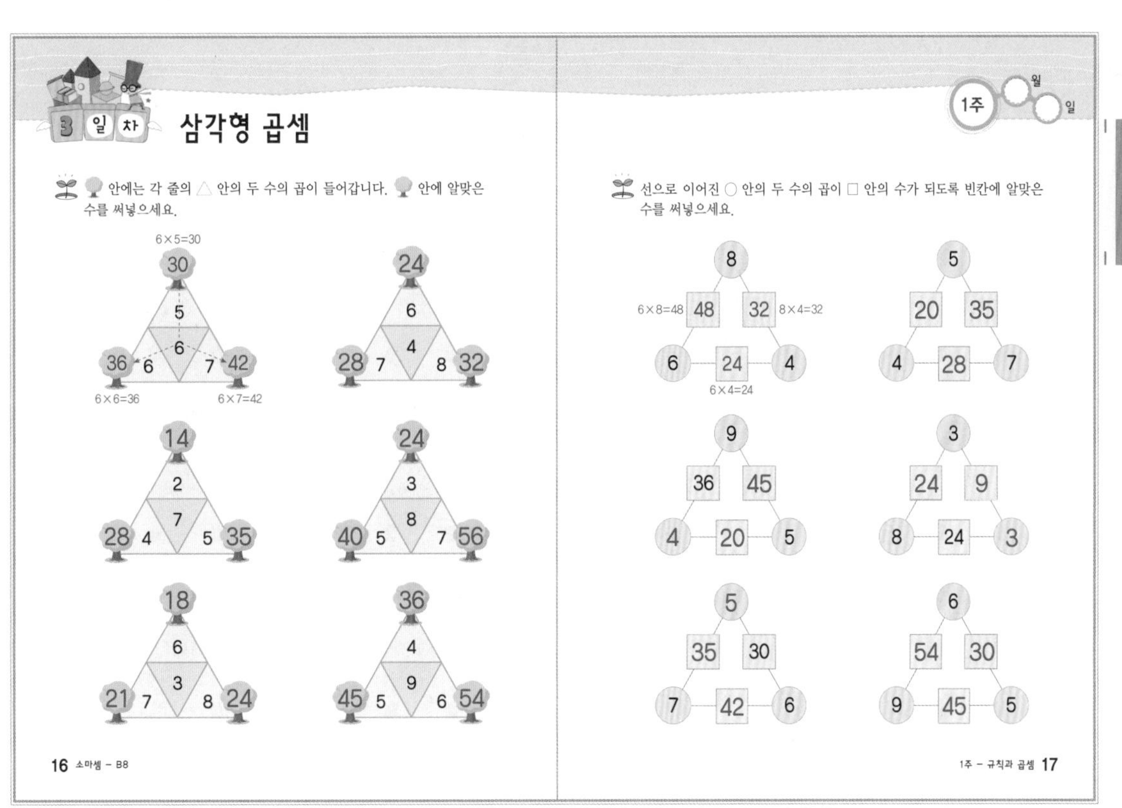
3 일 차 삼각형 곱셈

안에는 각 줄의 △ 안의 두 수의 곱이 들어갑니다. 안에 알맞은 수를 써넣으세요.

16 소마셈 - B8

1주 월 일

선으로 이어진 ○ 안의 두 수의 곱이 □ 안의 수가 되도록 빈칸에 알맞은 수를 써넣으세요.

1주 - 규칙과 곱셈 17

P 16 ~ 17

정답

P 18 ~ 19

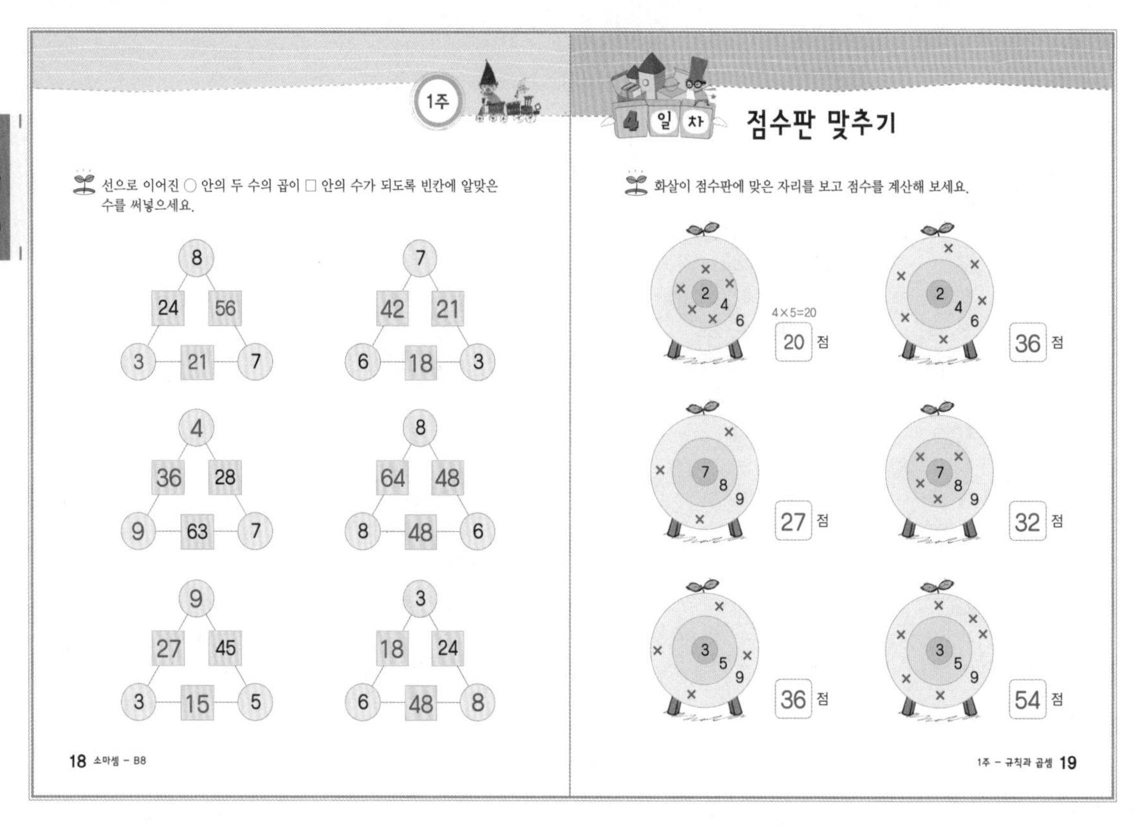
1주

선으로 이어진 ○ 안의 두 수의 곱이 □ 안의 수가 되도록 빈칸에 알맞은 수를 써넣으세요.

8 / 24, 56 / 3, 21, 7

7 / 42, 21 / 6, 18, 3

4 / 36, 28 / 9, 63, 7

8 / 64, 48 / 8, 48, 6

9 / 27, 45 / 3, 15, 5

3 / 18, 24 / 6, 48, 8

4 일 차 점수판 맞추기

화살이 점수판에 맞은 자리를 보고 점수를 계산해 보세요.

4×5=20

20 점

36 점

27 점

32 점

36 점

54 점

P 20 ~ 21

신나는 연산!

화살이 점수판에 맞은 자리를 보고 점수를 계산해 보세요.

30 점

28 점

27 점

40 점

24 점

9 점

1주 월 일

화살이 점수판에 맞은 자리를 보고 점수를 계산해 보세요.

4×3+2=14

14 점

28 점

25 점

33 점

35 점

41 점

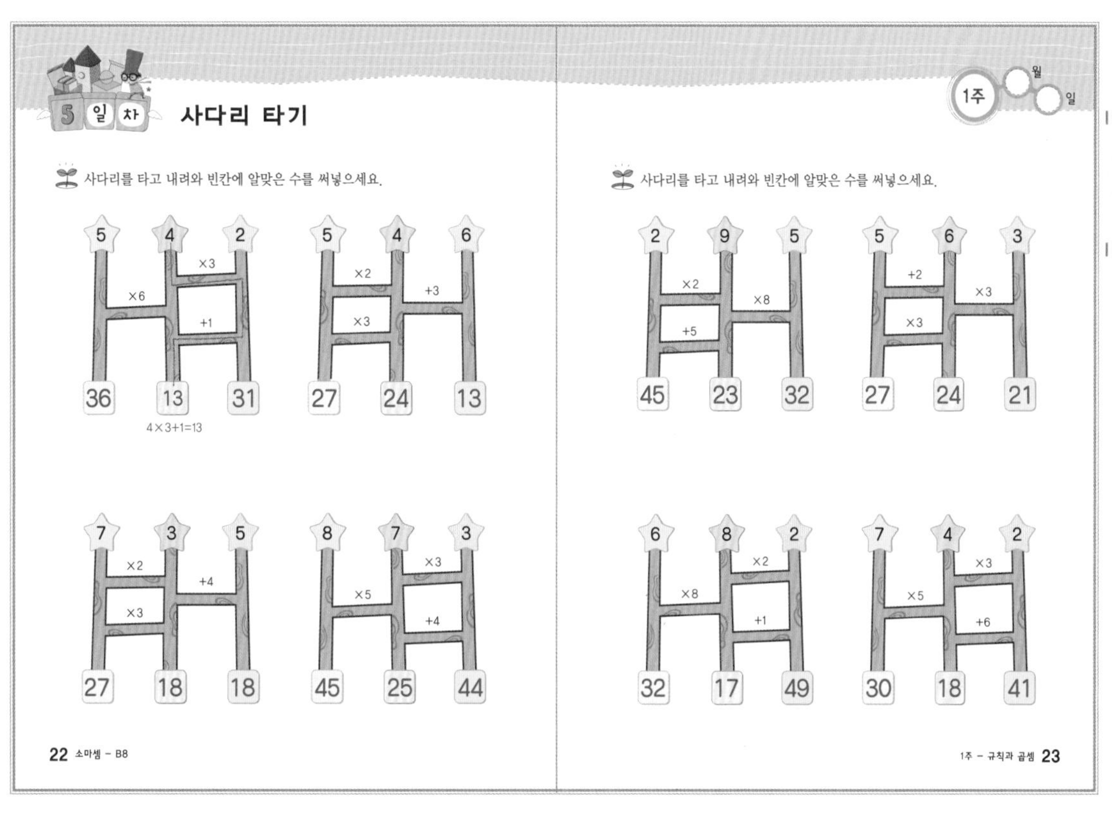

5일차 사다리 타기

1주 월 일

사다리를 타고 내려와 빈칸에 알맞은 수를 써넣으세요.

5 4 2 — ×6, ×3, +1 — 36 13 31

4×3+1=13

5 4 6 — ×2, +3, ×3 — 27 24 13

7 3 5 — ×2, +4, ×3 — 27 18 18

8 7 3 — ×3, ×5, +4 — 45 25 44

사다리를 타고 내려와 빈칸에 알맞은 수를 써넣으세요.

2 9 5 — ×2, ×8, +5 — 45 23 32

5 6 3 — +2, ×3, ×3 — 27 24 21

6 8 2 — ×2, ×8, +1 — 32 17 49

7 4 2 — ×3, ×5, +6 — 30 18 41

22 소마셈 - B8

1주 - 규칙과 곱셈 23

P 22 ~ 23

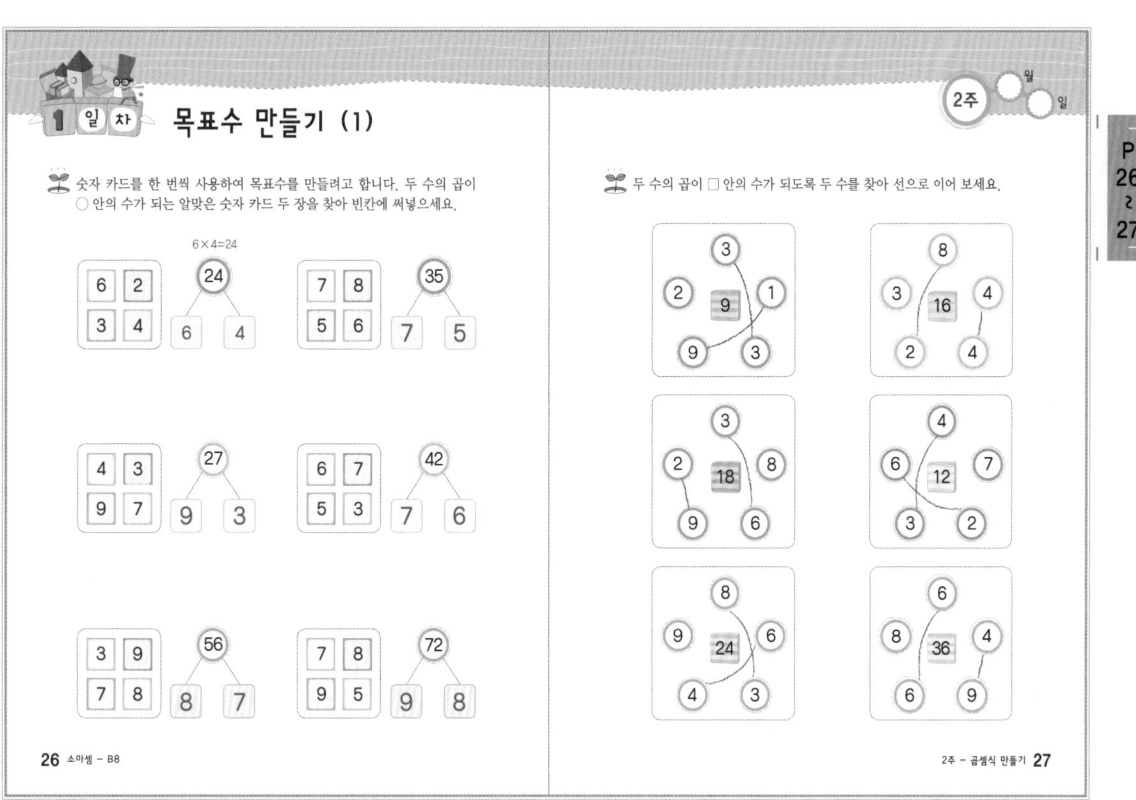

1일차 목표수 만들기 (1)

2주 월 일

숫자 카드를 한 번씩 사용하여 목표수를 만들려고 합니다. 두 수의 곱이 ○ 안의 수가 되는 알맞은 숫자 카드 두 장을 찾아 빈칸에 써넣으세요.

6×4=24

6 2 3 4 — 24 — 6 4

7 8 5 6 — 35 — 7 5

4 3 9 7 — 27 — 9 3

6 7 5 3 — 42 — 7 6

3 9 7 8 — 56 — 8 7

7 8 9 5 — 72 — 9 8

두 수의 곱이 □ 안의 수가 되도록 두 수를 찾아 선으로 이어 보세요.

9 — 3, 2, 1, 9, 3

16 — 8, 3, 4, 2, 4

18 — 3, 2, 8, 9, 6

12 — 4, 6, 7, 3, 2

24 — 8, 9, 6, 4, 3

36 — 6, 8, 4, 6, 9

26 소마셈 - B8

2주 - 곱셈식 만들기 27

P 26 ~ 27

정답

P 28 ~ 29

2일차 목표수 만들기 (2)

숫자 카드를 한 번씩 사용하여 목표수를 만들려고 합니다. 두 수의 곱이 ○ 안의 수가 되는 알맞은 숫자 카드를 두 장씩 찾아 빈칸에 써넣으세요.

숫자 카드: 7, 8, 4, 3, 2, 5

$7 \times 3 = 21$ $8 \times 2 = 16$ $5 \times 4 = 20$

- 21: 7, 3
- 16: 8, 2
- 20: 5, 4

숫자 카드: 6, 3, 5, 7, 2, 8

- 18: 6, 3
- 40: 8, 5
- 14: 7, 2

숫자 카드: 4, 7, 3, 5, 9, 6

- 30: 6, 5
- 27: 9, 3
- 28: 7, 4

28 소마셈 - B8

2주 월 일

숫자 카드를 한 번씩 사용하여 목표수를 만들려고 합니다. 두 수의 곱이 ○ 안의 수가 되는 알맞은 숫자 카드를 두 장씩 찾아 빈칸에 써넣으세요.

숫자 카드: 6, 5, 9, 3, 2, 4

- 24: 6, 4
- 45: 9, 5
- 6: 3, 2

숫자 카드: 9, 4, 5, 7, 4, 8

- 35: 7, 5
- 16: 4, 4
- 72: 9, 8

숫자 카드: 2, 8, 4, 7, 7, 6

- 12: 6, 2
- 32: 8, 4
- 49: 7, 7

2주 - 곱셈식 만들기 29

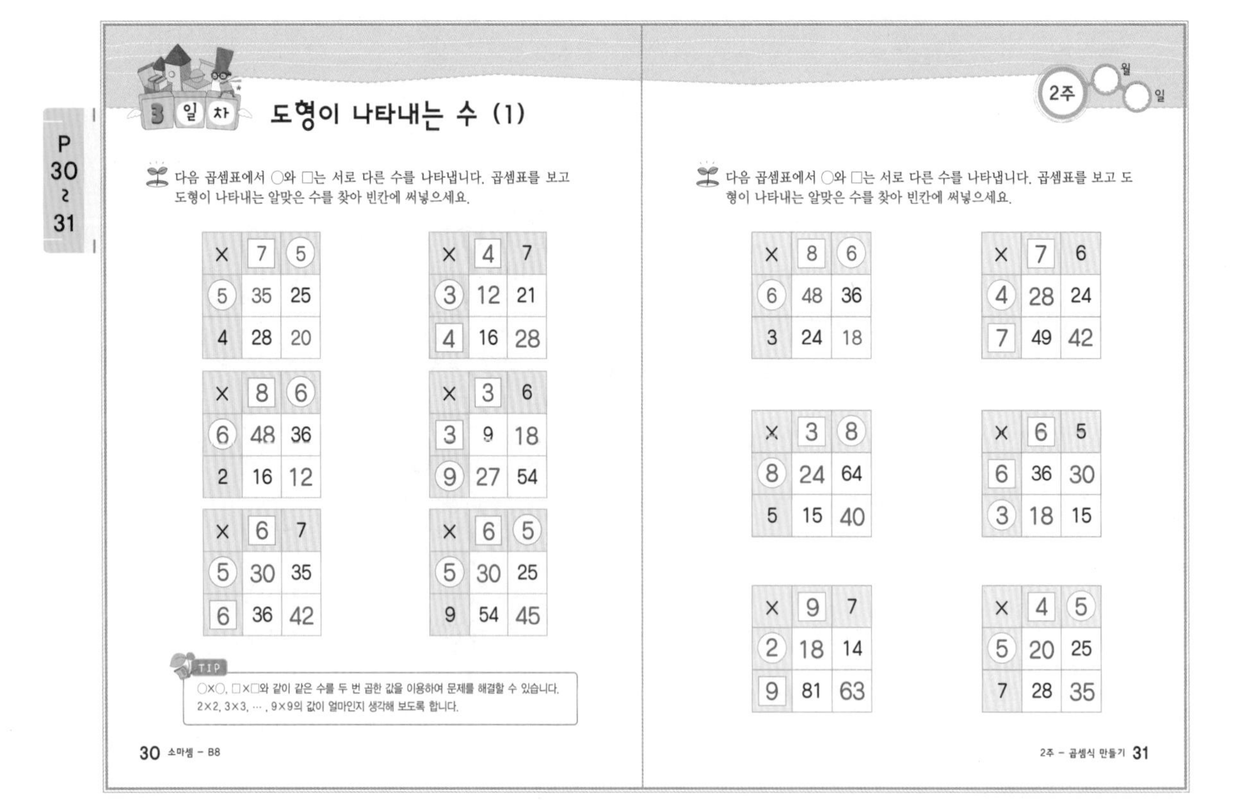

P 30 ~ 31

3일차 도형이 나타내는 수 (1)

다음 곱셈표에서 ○와 □는 서로 다른 수를 나타냅니다. 곱셈표를 보고 도형이 나타내는 알맞은 수를 찾아 빈칸에 써넣으세요.

×	7	5
5	35	25
4	28	20

×	4	7
3	12	21
4	16	28

×	8	6
6	48	36
2	16	12

×	3	6
3	9	18
9	27	54

×	6	7
5	30	35
6	36	42

×	6	5
5	30	25
9	54	45

TIP

○×○, □×□와 같이 같은 수를 두 번 곱한 값을 이용하여 문제를 해결할 수 있습니다. 2×2, 3×3, … , 9×9의 값이 얼마인지 생각해 보도록 합니다.

30 소마셈 - B8

2주 월 일

다음 곱셈표에서 ○와 □는 서로 다른 수를 나타냅니다. 곱셈표를 보고 도형이 나타내는 알맞은 수를 찾아 빈칸에 써넣으세요.

×	8	6
6	48	36
3	24	18

×	7	6
4	28	24
7	49	42

×	3	8
8	24	64
5	15	40

×	6	5
6	36	30
3	18	15

×	9	7
2	18	14
9	81	63

×	4	5
5	20	25
7	28	35

2주 - 곱셈식 만들기 31

4일차 도형이 나타내는 수 (2)

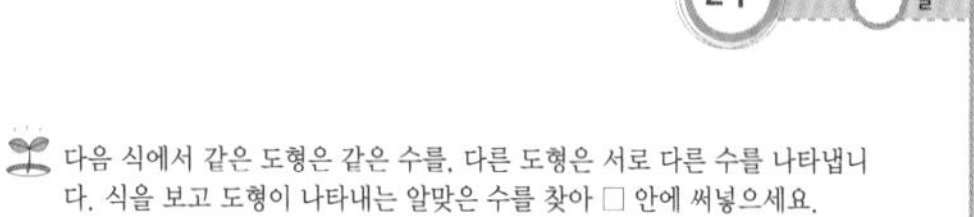

다음 식에서 같은 도형은 같은 수를, 다른 도형은 서로 다른 수를 나타냅니다. 식을 보고 도형이 나타내는 알맞은 수를 찾아 □ 안에 써넣으세요.

- 7 × ■ = 35, 6 × ■ = 30 → ■ = 5, ● = 7
- ● × ■ = 24, ■ × 7 = 42 → ■ = 6, ● = 4
- ● × ■ = 18, ■ × 3 = 27 → ■ = 9, ● = 2
- ● × ■ = 40, 9 × ■ = 72 → ■ = 8, ● = 5
- ● × ● = 36, ■ × ● = 12 → ■ = 2, ● = 6
- ■ × ■ = 49, ● × ■ = 21 → ■ = 7, ● = 3

다음 식에서 같은 도형은 같은 수를, 다른 도형은 서로 다른 수를 나타냅니다. 식을 보고 도형이 나타내는 알맞은 수를 찾아 □ 안에 써넣으세요.

- ★ × ♥ = 42, ♥ × 4 = 28 → ★ = 6, ♥ = 7
- ★ × ★ = 64, ♥ × ★ = 72 → ★ = 8, ♥ = 9
- ♥ × ★ = 28, 8 × ★ = 56 → ★ = 7, ♥ = 4
- ♥ × ♥ = 81, ★ × ♥ = 27 → ★ = 3, ♥ = 9
- ★ × ♥ = 30, ♥ × 3 = 18 → ★ = 5, ♥ = 6
- ★ × ♥ = 16, ♥ × 6 = 48 → ★ = 2, ♥ = 8

5일차 □가 있는 식 만들기

2주 월 일

다음을 읽고 □를 사용하여 곱셈식을 만들고, □를 구하세요.

우현이네 집에 있는 어미 강아지가 밤새 새끼를 낳았습니다. 우현이는 가족들과 둘러 모여 강아지를 구경했습니다. 아직 눈도 뜨지 못한 새끼 강아지들이 너무나 귀여웠습니다.
어미 강아지는 새끼를 여러 마리 낳았는데, 새끼 강아지의 다리 수를 세어보니 모두 20개였습니다.
우현이네 집에 있는 새끼 강아지는 모두 몇 마리일까요?

식 : □ × 4 = 20　　5 마리

다음을 읽고 □를 사용하여 곱셈식을 만들고, □를 구하세요.

가빈이는 수학 문제집을 하루에 3장씩 풀었습니다. 모두 21장을 풀었다면 가빈이는 며칠 동안 문제집을 풀었을까요?

식 : □ × 3 = 21　　7 일

지선이는 바구니에 귤을 8개씩 담으려고 합니다. 귤이 모두 48개 있다면 바구니가 몇 개 필요할까요?

식 : □ × 8 = 48　　6 개

P 36 ~ 37

신나는 연산!

2주

다음을 읽고 □를 사용하여 곱셈식을 만들고, □를 구하세요.

현경이는 주머니에 구슬을 5개씩 담으려고 합니다. 구슬이 모두 30개 있다면 주머니는 몇 개 필요할까요?

식 : □×5=30　　**6** 개

현주네 농장에 있는 오리의 다리 수를 세어보니 모두 16개였습니다. 현주네 농장에 있는 오리는 모두 몇 마리일까요?

식 : □×2=16　　**8** 마리

자전거 가게에 있는 세 발 자전거의 바퀴를 세어보니 모두 18개였습니다. 자전거 가게에 있는 세 발 자전거는 모두 몇 대일까요?

식 : □×3=18　　**6** 대

다음을 읽고 □를 사용하여 곱셈식을 만들고, □를 구하세요.

문방구에서 스케치북을 매일 5권씩 팔았습니다. 모두 25권을 팔았다면 스케치북을 며칠 동안 팔았을까요?

식 : □×5=25　　**5** 일

쌓기 나무가 81개 있습니다. 한 층에 9개씩 쌓는다면 모두 몇 층으로 쌓을 수 있을까요?

식 : □×9=81　　**9** 층

준성이의 엄마는 준성이 나이의 5배입니다. 준성이 엄마의 나이가 35살이라면 준성이는 몇 살일까요?

식 : □×5=35　　**7** 살

36 소마셈 – B8　　　2주 – 곱셈식 만들기 37

P 40 ~ 41

1일차 매트릭스

빈칸에는 가로와 세로에 쓰인 두 수의 곱이 들어갑니다. 빈칸에 알맞은 수를 써넣으세요.

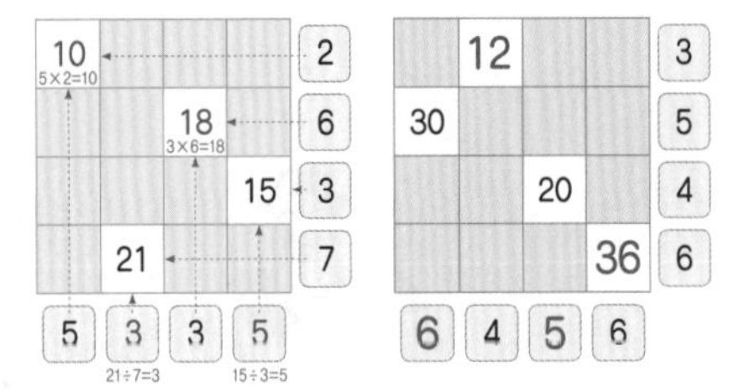

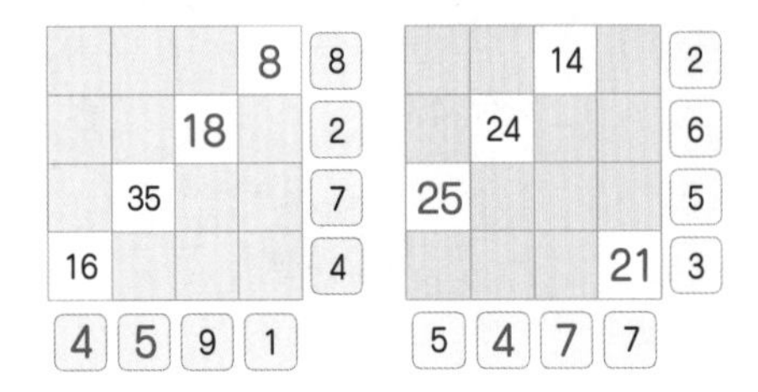

빈칸에는 가로와 세로에 쓰인 두 수의 곱이 들어갑니다. 빈칸에 알맞은 수를 써넣으세요.

3				3
	20			5
		27		9
			10	2
1	4	3	5	

		48		6
	14			7
			9	1
32				4
8	2	8	9	

		9		3
48				6
			28	4
	40			8
8	5	3	7	

16				2
		32		8
	18			3
			40	5
8	6	4	8	

40 소마셈 – B8　　　3주 – 규칙과 나눗셈 41

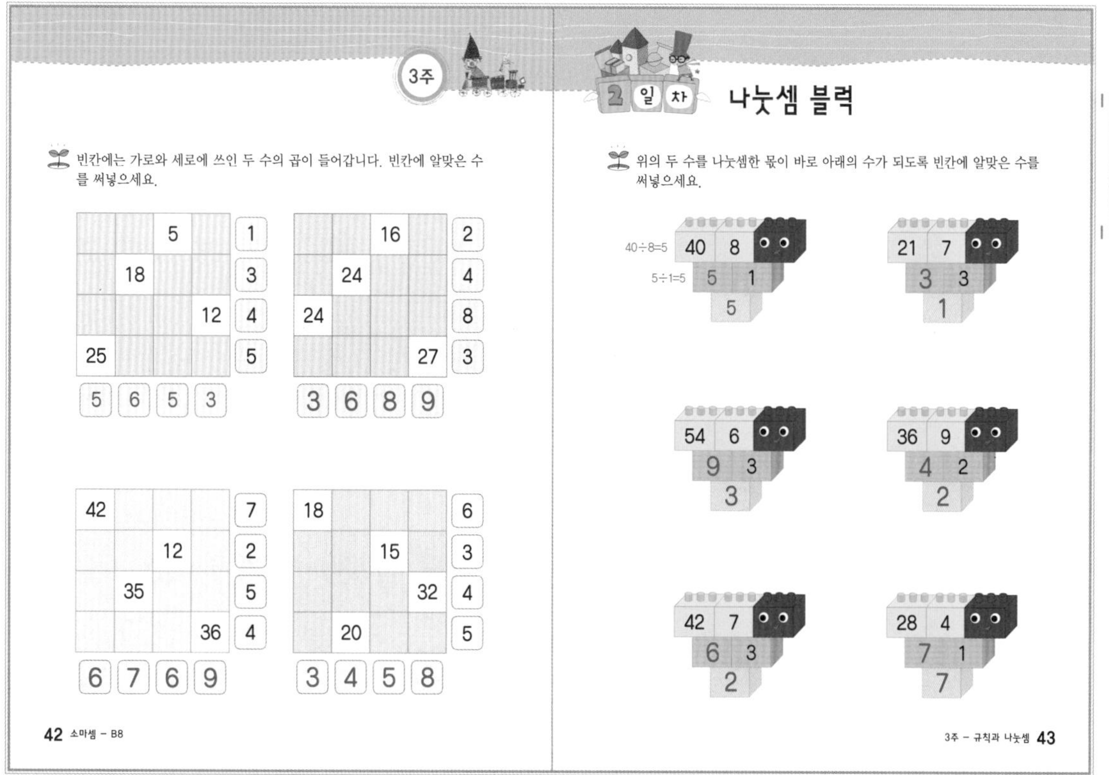
3주
2 일 차
나눗셈 블럭
빈칸에는 가로와 세로에 쓰인 두 수의 곱이 들어갑니다. 빈칸에 알맞은 수를 써넣으세요.
위의 두 수를 나눗셈한 몫이 바로 아래의 수가 되도록 빈칸에 알맞은 수를 써넣으세요.
40÷8=5
5÷1=5
42 소마셈 - B8
3주 - 규칙과 나눗셈 43

P 42 ~ 43

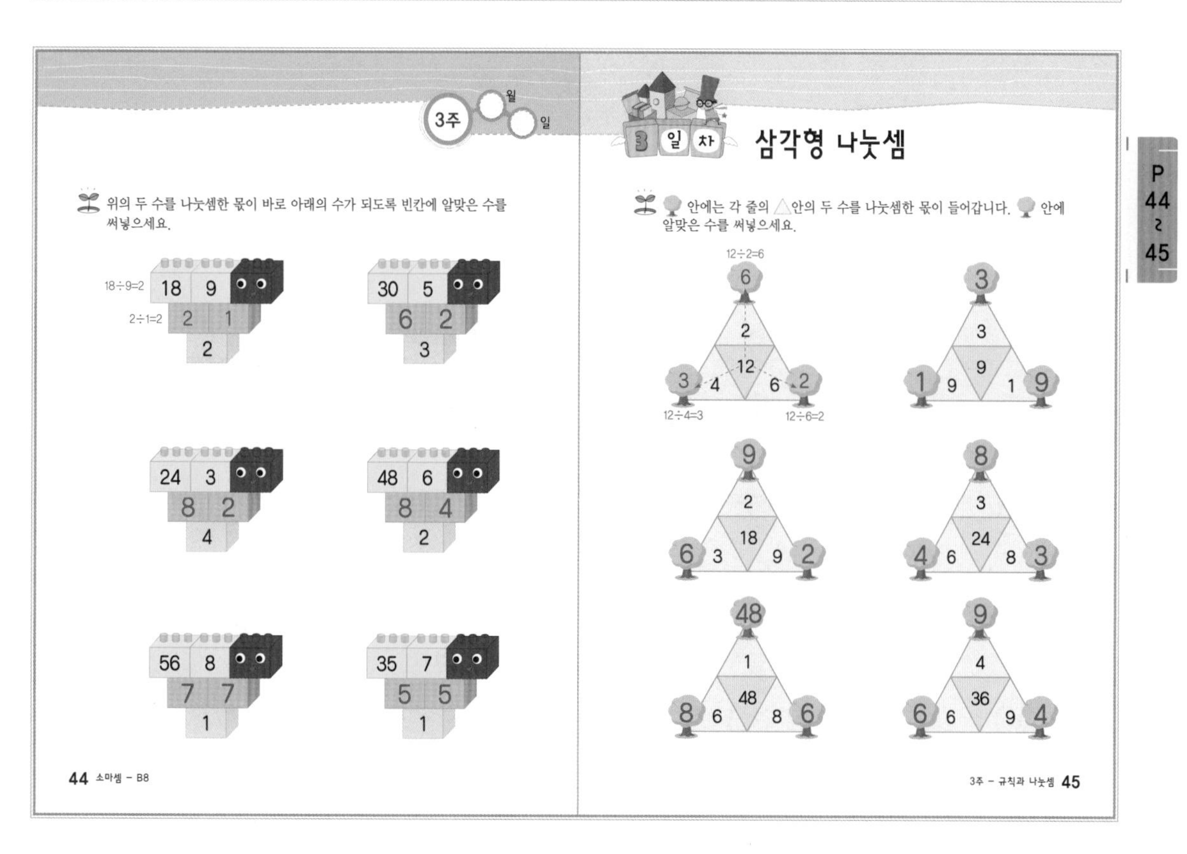
3주
월
일
3 일 차
삼각형 나눗셈
위의 두 수를 나눗셈한 몫이 바로 아래의 수가 되도록 빈칸에 알맞은 수를 써넣으세요.
18÷9=2
2÷1=2
안에는 각 줄의 △안의 두 수를 나눗셈한 몫이 들어갑니다. 안에 알맞은 수를 써넣으세요.
12÷2=6
12÷4=3
12÷6=2
44 소마셈 - B8
3주 - 규칙과 나눗셈 45

P 44 ~ 45

정답

P 46 ~ 47

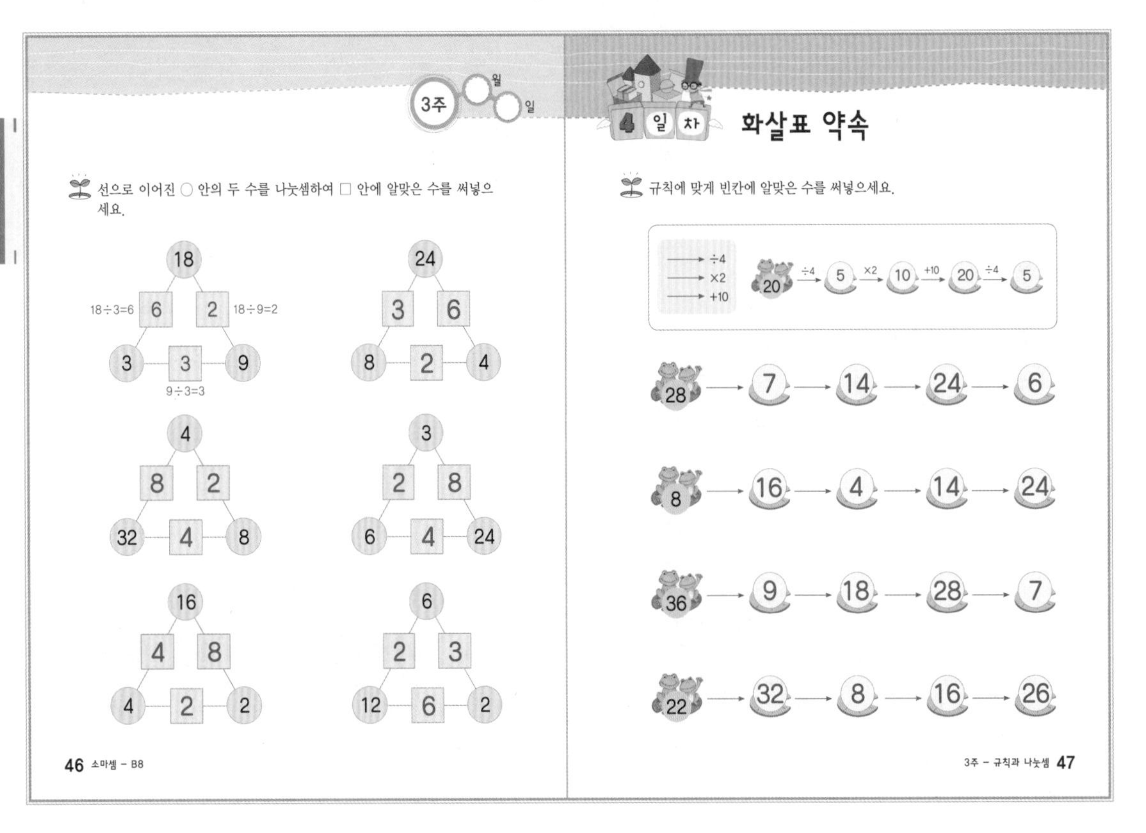
3주 월 일
4 일 차 화살표 약속
선으로 이어진 ○ 안의 두 수를 나눗셈하여 □ 안에 알맞은 수를 써넣으세요.
18÷3=6
18÷9=2
9÷3=3
규칙에 맞게 빈칸에 알맞은 수를 써넣으세요.
46 소마셈 - B8
3주 - 규칙과 나눗셈 47

P 48 ~ 49

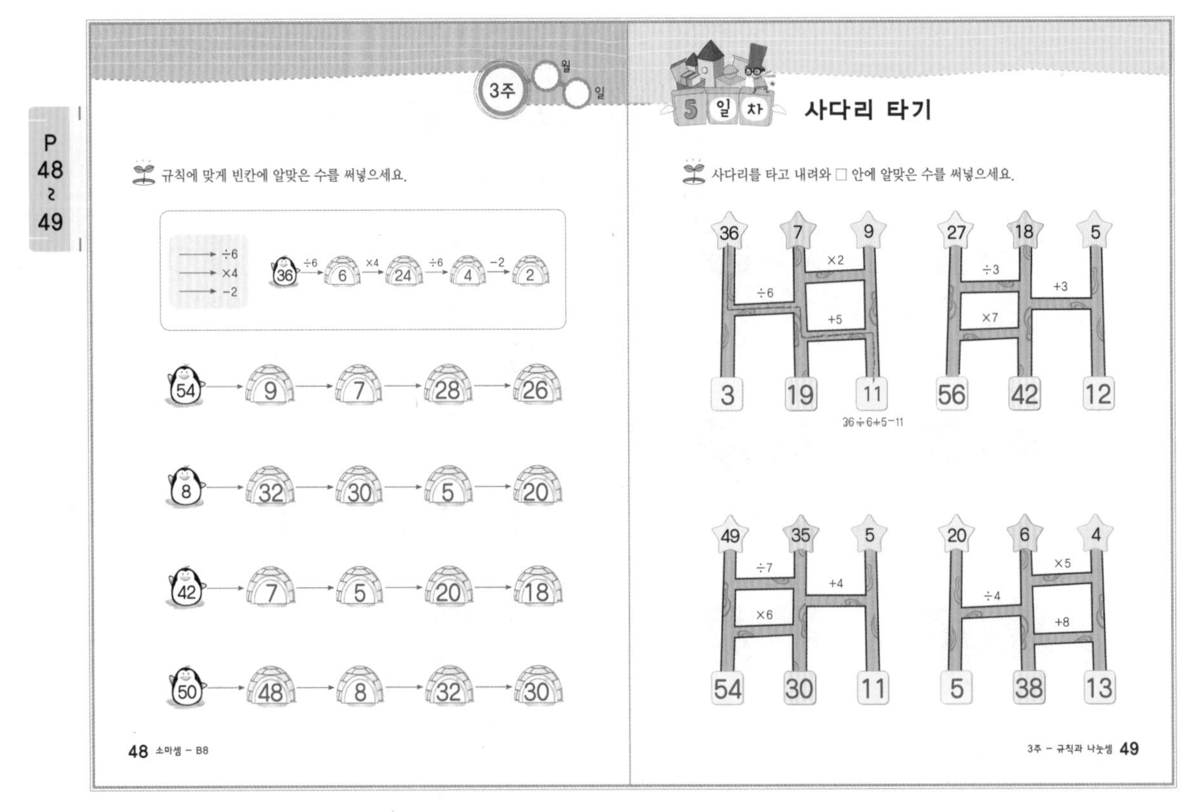
3주 월 일
5 일 차 사다리 타기
규칙에 맞게 빈칸에 알맞은 수를 써넣으세요.
사다리를 타고 내려와 □ 안에 알맞은 수를 써넣으세요.
36÷6+5=11
48 소마셈 - B8
3주 - 규칙과 나눗셈 49

P 50

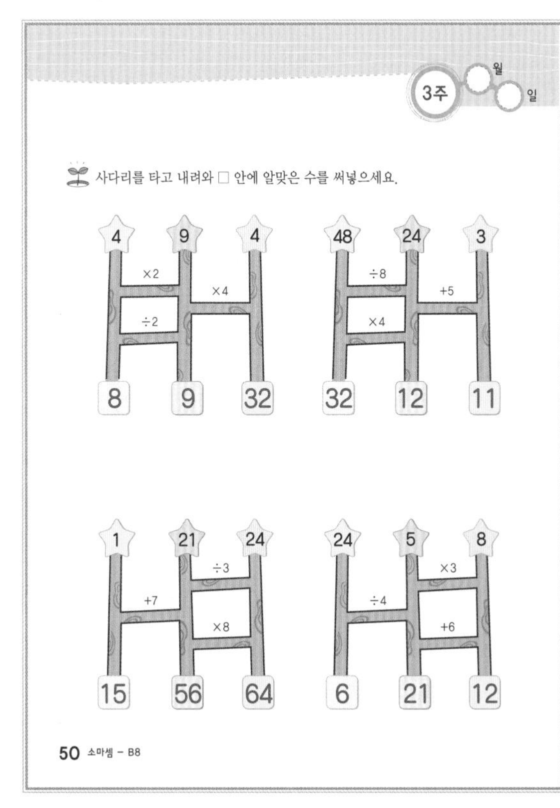
3주 월 일

사다리를 타고 내려와 □ 안에 알맞은 수를 써넣으세요.

4, 9, 4 (×2, ÷2, ×4) → 8, 9, 32

48, 24, 3 (÷8, ×4, +5) → 32, 12, 11

1, 21, 24 (+7, ÷3, ×8) → 15, 56, 64

24, 5, 8 (÷4, ×3, +6) → 6, 21, 12

50 소마셈 - B8

P 52 ~ 53

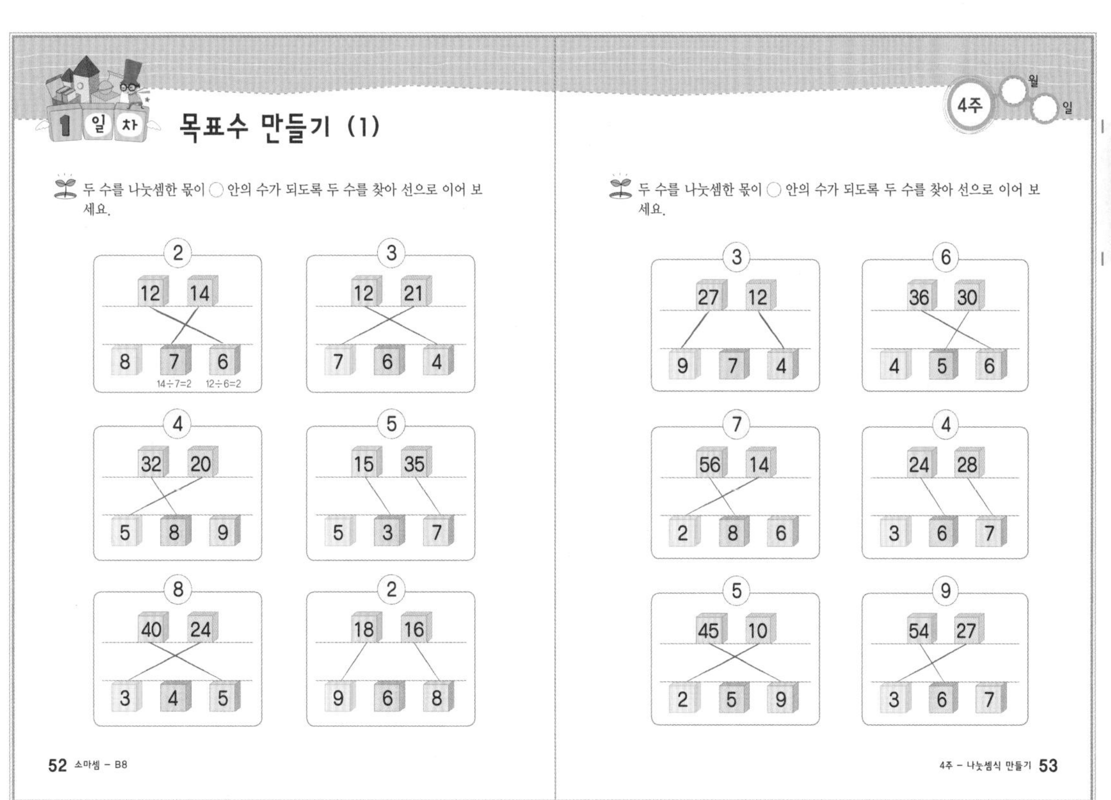
1일차

목표수 만들기 (1)

두 수를 나눗셈한 몫이 ○ 안의 수가 되도록 두 수를 찾아 선으로 이어 보세요.

② 12 14 / 8 7 6 — 14÷7=2 12÷6=2

③ 12 21 / 7 6 4

④ 32 20 / 5 8 9

⑤ 15 35 / 5 3 7

⑧ 40 24 / 3 4 5

② 18 16 / 9 6 8

52 소마셈 - B8

4주 월 일

두 수를 나눗셈한 몫이 ○ 안의 수가 되도록 두 수를 찾아 선으로 이어 보세요.

③ 27 12 / 9 7 4

⑥ 36 30 / 4 5 6

⑦ 56 14 / 2 8 6

④ 24 28 / 3 6 7

⑤ 45 10 / 2 5 9

⑨ 54 27 / 3 6 7

4주 - 나눗셈식 만들기 53

P 54 ~ 55

2일차 목표수 만들기 (2)

수 카드를 한 번씩 사용하여 목표수를 만들려고 합니다. 알맞은 수 카드 두 장을 찾아 ○표 하고, 나눗셈식을 완성하세요.

수 카드	나눗셈식
5, 28, 35, 7	35 ÷ 7 = 5
36, 4, 24, 7	24 ÷ 6 = 4
5, 40, 4, 36	36 ÷ 4 = 9
8, 21, 7, 32	32 ÷ 8 = 4
18, 16, 8, 6	16 ÷ 2 = 8
15, 7, 29, 5	15 ÷ 5 = 3

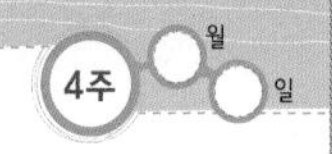

4주 월 일

수 카드를 한 번씩 사용하여 목표수를 만들려고 합니다. 알맞은 수 카드 두 장을 찾아 ○표 하고, 나눗셈식을 완성하세요.

수 카드	나눗셈식
48, 8, 37, 5	48 ÷ 8 = 6
45, 35, 6, 7	35 ÷ 7 = 5
18, 29, 3, 9	18 ÷ 6 = 3
26, 8, 32, 9	32 ÷ 4 = 8
3, 64, 9, 72	72 ÷ 9 = 8
5, 36, 45, 6	45 ÷ 5 = 9

P 56 ~ 57

3일차 도형이 나타내는 수 (1)

다음 식에서 같은 도형은 같은 수를, 다른 도형은 서로 다른 수를 나타냅니다. 식을 보고 도형이 나타내는 알맞은 수를 찾아 □ 안에 써넣으세요.

48 ÷ ● = 8
2 × ■ = ●
■ = 3, ● = 6

36 ÷ ● = 4
9 × ■ = ●
■ = 1, ● = 9

7 × ● = 49
35 ÷ ● = ■
■ = 5, ● = 7

6 × ● = 24
32 ÷ ■ = ●
■ = 8, ● = 4

63 ÷ ● = 9
3 × ● = ■
■ = 21, ● = 7

8 × ● = 24
27 ÷ ● = ■
■ = 9, ● = 3

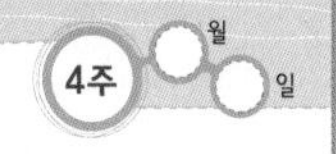

4주 월 일

다음 식에서 같은 도형은 같은 수를, 다른 도형은 서로 다른 수를 나타냅니다. 식을 보고 도형이 나타내는 알맞은 수를 찾아 □ 안에 써넣으세요.

24 ÷ ♥ = 4
6 × ★ = ♥
★ = 1, ♥ = 6

42 ÷ ♥ = 7
54 ÷ ★ = ♥
★ = 9, ♥ = 6

2 × ♥ = 16
32 ÷ ★ = ♥
★ = 4, ♥ = 8

5 × ♥ = 25
40 ÷ ♥ = ★
★ = 8, ♥ = 5

4 × ♥ = 16
20 ÷ ♥ = ★
★ = 5, ♥ = 4

48 ÷ ♥ = 6
8 × ♥ = ★
★ = 64, ♥ = 8

도형이 나타내는 수 (2)

다음 식에서 같은 도형은 같은 수를, 다른 도형은 서로 다른 수를 나타냅니다. 식을 보고 도형이 나타내는 알맞은 수를 찾아 □ 안에 써넣으세요.

20 ÷ △(5) = 4
45 ÷ △(5) = ⬠(9)
18 ÷ ⬠(9) = 2

24 ÷ △ = 3
△ × ⬠ = 32
28 ÷ ⬠ = 7

36 ÷ △ = 6
△ × ⬠ = 30
25 ÷ ⬠ = 5

12 ÷ △ = 4
18 ÷ ⬠ = △
30 ÷ ⬠ = 5

48 ÷ ⬠ = 6
△ × ⬠ = 16
△ × 9 = 18

40 ÷ ⬠ = 5
56 ÷ ⬠ = △
5 × △ = 35

다음 식에서 같은 도형은 같은 수를, 다른 도형은 서로 다른 수를 나타냅니다. 식을 보고 도형이 나타내는 알맞은 수를 찾아 □ 안에 써넣으세요.

54 ÷ ⬡ = 6
⬡ × ◆ = 27
9 ÷ ◆ = 3

20 ÷ ◆ = 5
⬡ × ◆ = 28
⬡ × 7 = 49

32 ÷ ⬡ = 8
8 ÷ ⬡ = ◆
14 ÷ ◆ = 7

27 ÷ ⬡ = 9
⬡ × ◆ = 24
8 ÷ ◆ = 1

24 ÷ ⬡ = 4
30 ÷ ⬡ = ◆
◆ × 1 = 5

49 ÷ ◆ = 7
◆ ÷ ⬡ = 7
5 ÷ ⬡ = 5

□가 있는 식 만들기

다음을 읽고 □를 사용하여 식을 만들고, 바르게 계산한 값을 구하세요.

어떤 수에 3을 곱해야 할 것을 잘못하여 더하였더니 12가 되었습니다. 바르게 계산하면 얼마일까요?

잘못된 계산 : □ + 3 = 12, □ = 9

바른 계산 : 9 × 3 = 27

27

어떤 수에 8을 곱해야 할 것을 잘못하여 더하였더니 11이 되었습니다. 바르게 계산하면 얼마일까요?

잘못된 계산 : □ + 8 = 11, □ = 3

바른 계산 : 3 × 8 = 24

24

TIP
어떤 수를 □로 놓고 식을 만듭니다. 잘못된 계산을 이용하여 □를 먼저 구한 후, 바르게 계산한 값을 알아냅니다.

다음을 읽고 □를 사용하여 식을 만들고, 바르게 계산한 값을 구하세요.

어떤 수에 4를 곱해야 할 것을 잘못하여 뺐더니 5가 되었습니다. 바르게 계산하면 얼마일까요?

잘못된 계산 : □ − 4 = 5, □ = 9

바른 계산 : 9 × 4 = 36

36

어떤 수에 5를 곱해야 할 것을 잘못하여 뺐더니 1이 되었습니다. 바르게 계산하면 얼마일까요?

잘못된 계산 : □ − 5 = 1, □ = 6

바른 계산 : 6 × 5 = 30

30

P 62 ~ 63

신나는 연산!

다음을 읽고 □를 사용하여 식을 만들고, 바르게 계산한 값을 구하세요.

어떤 수에 5를 곱해야 할 것을 잘못하여 더하였더니 10이 되었습니다. 바르게 계산하면 얼마일까요?

잘못된 계산 : □+5=10, □=5

바른 계산 : 5×5=25

25

어떤 수에 4를 곱해야 할 것을 잘못하여 더하였더니 11이 되었습니다. 바르게 계산하면 얼마일까요?

잘못된 계산 : □+4=11, □=7

바른 계산 : 7×4=28

28

어떤 수에 6을 곱해야 할 것을 잘못하여 더하였더니 14가 되었습니다. 바르게 계산하면 얼마일까요?

잘못된 계산 : □+6=14, □=8

바른 계산 : 8×6=48

48

62 소마셈 - B8

다음을 읽고 □를 사용하여 식을 만들고, 바르게 계산한 값을 구하세요.

어떤 수에 7을 곱해야 할 것을 잘못하여 뺐더니 2가 되었습니다. 바르게 계산하면 얼마일까요?

잘못된 계산 : □-7=2, □=9

바른 계산 : 9×7=63

63

어떤 수에 6을 곱해야 할 것을 잘못하여 뺐더니 1이 되었습니다. 바르게 계산하면 얼마일까요?

잘못된 계산 : □-6=1, □=7

바른 계산 : 7×6=42

42

어떤 수에 4를 곱해야 할 것을 잘못하여 뺐더니 3이 되었습니다. 바르게 계산하면 얼마일까요?

잘못된 계산 : □-4=3, □=7

바른 계산 : 7×4=28

28

4주 - 나눗셈식 만들기 63

1주차 규칙과 곱셈

P 66 ~ 67

빈칸에는 가로와 세로에 쓰인 두 수의 곱이 들어갑니다. 빈칸에 알맞은 수를 써 넣으세요.

			30	5
		15		3
	28			7
16				8
2	4	5	6	

	35			7
48				6
		8		4
			27	3
8	5	2	9	

	48			8
		81		9
			8	2
42				6
7	6	9	4	

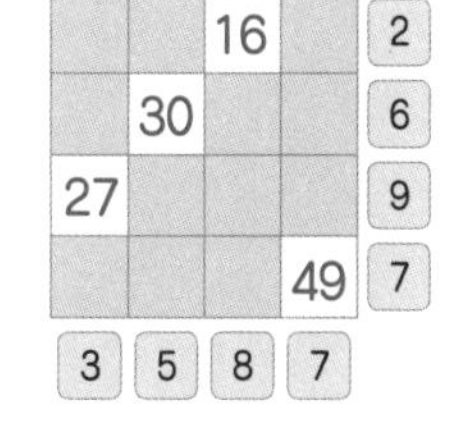

빈칸에는 가로와 세로에 쓰인 두 수의 곱이 들어갑니다. 빈칸에 알맞은 수를 써 넣으세요.

18				2
		24		6
			40	8
	27			3
9	9	4	5	

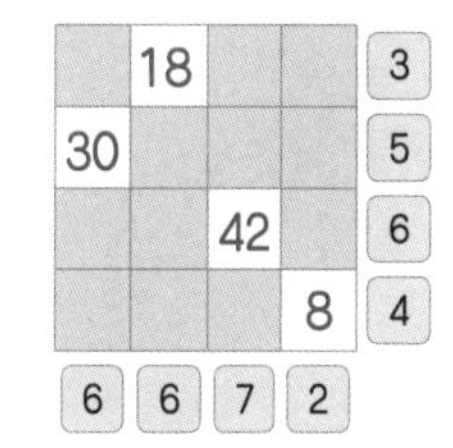

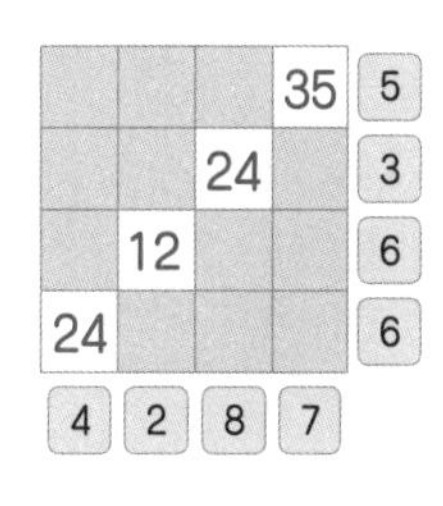

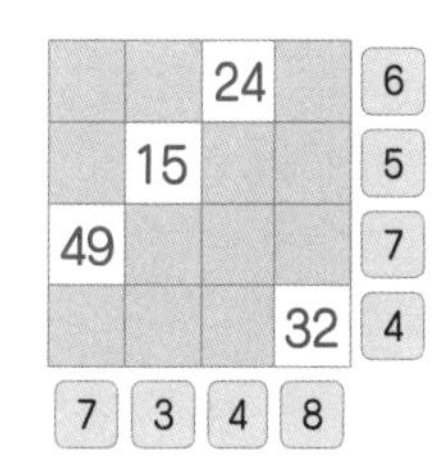

1주차

P 68 ~ 69

빈칸에는 가로와 세로에 쓰인 두 수의 곱이 들어갑니다. 빈칸에 알맞은 수를 써 넣으세요.

18				9
	48			8
		21		7
			15	3
2	6	3	5	

		24		6
	16			8
			20	5
32				8
4	2	4	4	

		56		7
25				5
			27	3
	30			6
5	5	8	9	

27				9
		21		3
	36			6
			40	8
3	6	7	5	

빈칸에는 가로와 세로에 쓰인 두 수의 곱이 들어갑니다. 빈칸에 알맞은 수를 써 넣으세요.

		24		3
42				6
			16	4
	49			7
7	7	8	4	

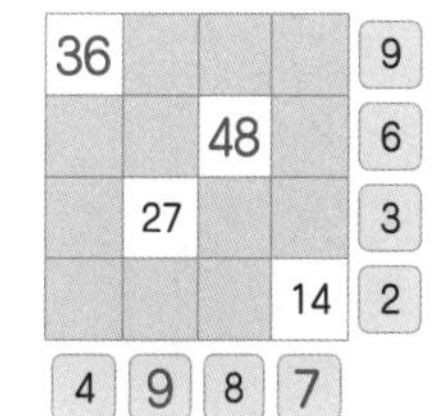

	48			8
		10		2
			32	4
24				6
4	6	5	8	

			32	4
		27		3
	12			6
35				7
5	2	9	8	

P 70 ~ 71

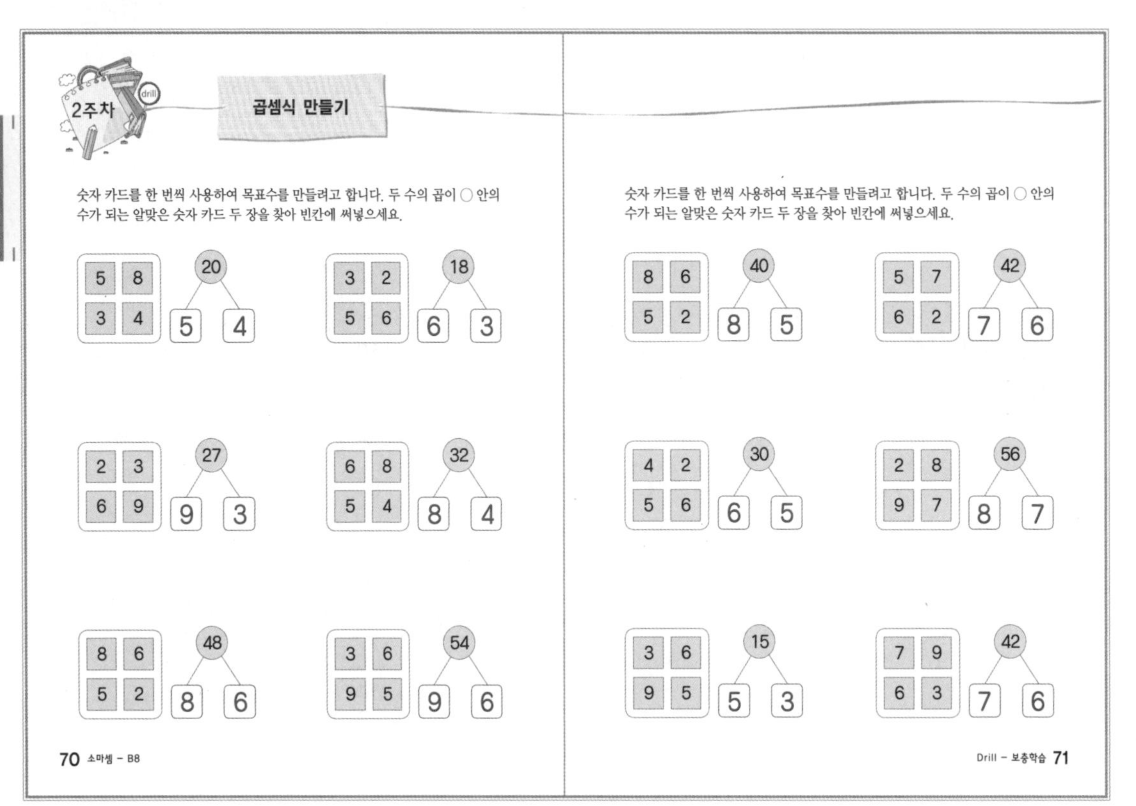
2주차 drill

곱셈식 만들기

숫자 카드를 한 번씩 사용하여 목표수를 만들려고 합니다. 두 수의 곱이 ◯ 안의 수가 되는 알맞은 숫자 카드 두 장을 찾아 빈칸에 써넣으세요.

숫자 카드	목표수	답
5, 8, 3, 4	20	5, 4
3, 2, 5, 6	18	6, 3
2, 3, 6, 9	27	9, 3
6, 8, 5, 4	32	8, 4
8, 6, 5, 2	48	8, 6
3, 6, 9, 5	54	9, 6

숫자 카드를 한 번씩 사용하여 목표수를 만들려고 합니다. 두 수의 곱이 ◯ 안의 수가 되는 알맞은 숫자 카드 두 장을 찾아 빈칸에 써넣으세요.

숫자 카드	목표수	답
8, 6, 5, 2	40	8, 5
5, 7, 6, 2	42	7, 6
4, 2, 5, 6	30	6, 5
2, 8, 9, 7	56	8, 7
3, 6, 9, 5	15	5, 3
7, 9, 6, 3	42	7, 6

P 72 ~ 73

다음 곱셈표에서 ◯와 □는 서로 다른 수를 나타냅니다. 곱셈표를 보고 도형이 나타내는 알맞은 수를 찾아 빈칸에 써넣으세요.

×	8	2
2	16	4
3	24	6

×	5	3
3	15	9
5	25	15

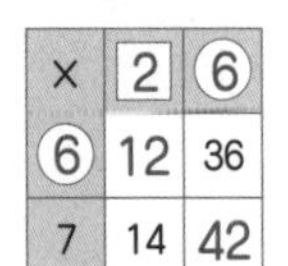

×	2	6
6	12	36
7	14	42

×	4	6
4	16	24
7	28	42

×	7	2
3	21	6
7	49	14

×	5	8
8	40	64
6	30	48

다음 곱셈표에서 ◯와 □는 서로 다른 수를 나타냅니다. 곱셈표를 보고 도형이 나타내는 알맞은 수를 찾아 빈칸에 써넣으세요.

×	4	8
2	8	16
4	16	32

×	2	9
9	18	81
5	10	45

×	4	7
7	28	49
5	20	35

×	3	5
3	9	15
6	18	30

×	4	5
5	20	25
8	32	40

×	5	7
4	20	28
5	25	35

규칙과 나눗셈

P 74 ~ 75

빈칸에는 가로와 세로에 쓰인 두 수의 곱이 들어갑니다. 빈칸에 알맞은 수를 써 넣으세요.

24				3
	30			5
		49		7
			18	9
8	6	7	2	

25				5
		32		4
	16			8
			12	2
5	2	8	6	

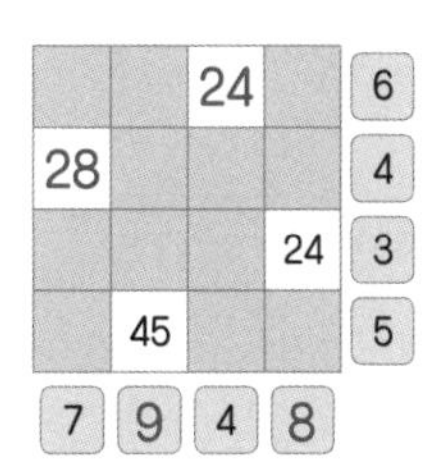

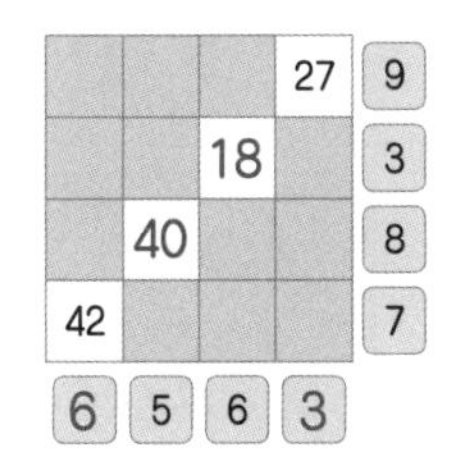

빈칸에는 가로와 세로에 쓰인 두 수의 곱이 들어갑니다. 빈칸에 알맞은 수를 써 넣으세요.

		16		8
	24			3
			8	2
35				5
7	8	2	4	

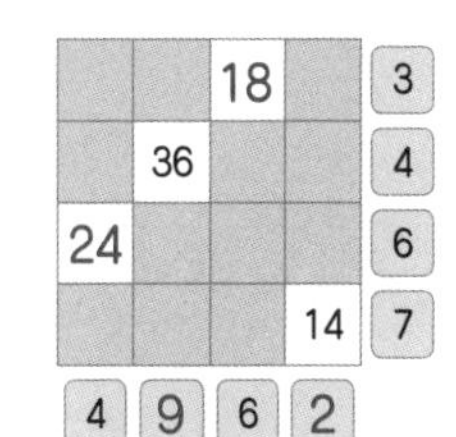

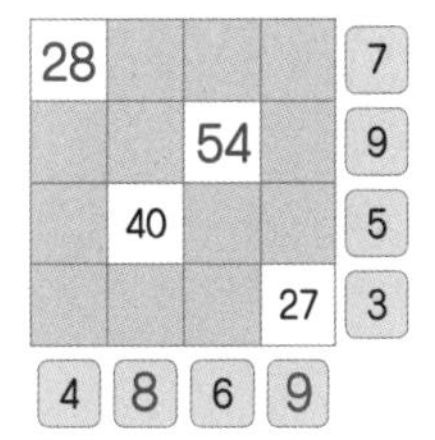

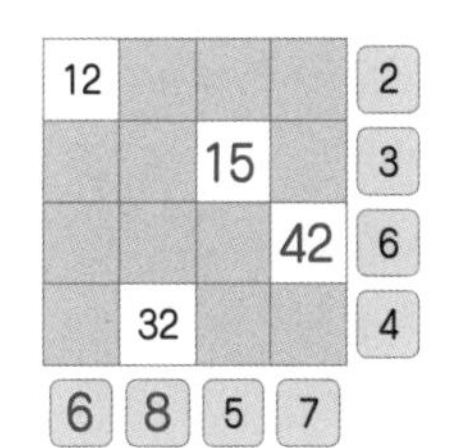

P 76 ~ 77

빈칸에는 가로와 세로에 쓰인 두 수의 곱이 들어갑니다. 빈칸에 알맞은 수를 써 넣으세요.

	10			2
15				5
		32		4
			16	8
3	5	8	2	

18				2
		35		5
			14	7
	28			4
9	7	7	2	

		24		3
	18			9
8				4
			27	3
2	2	8	9	

			40	8
		4		2
	12			6
20				5
4	2	2	5	

빈칸에는 가로와 세로에 쓰인 두 수의 곱이 들어갑니다. 빈칸에 알맞은 수를 써 넣으세요.

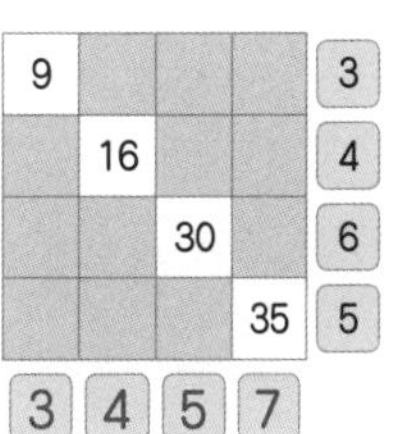

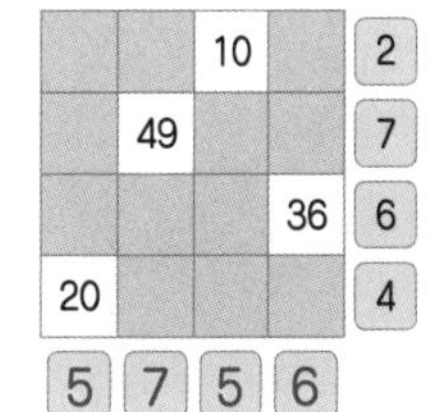

		18		3
25				5
			18	9
	14			2
5	7	6	2	

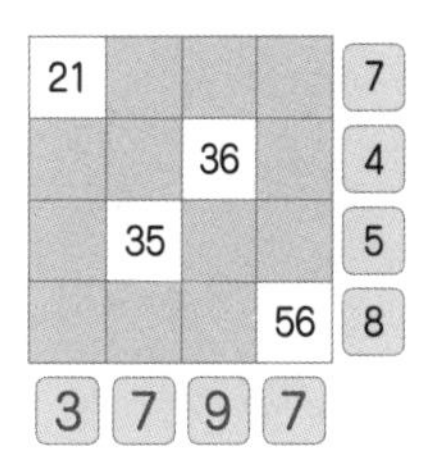

P 78 ~ 79

나눗셈식 만들기

수 카드를 한 번씩 사용하여 목표수를 만들려고 합니다. 알맞은 수 카드 두 장을 찾아 ○표 하고, 나눗셈식을 완성하세요.

수 카드	나눗셈식
4, 28, (30), (6)	30 ÷ 5 = 6
(32), (8), 24, 7	32 ÷ 4 = 8
5, (24), (4), 54	24 ÷ 4 = 6
(21), 27, (7), 5	21 ÷ 7 = 3
(72), 53, (9), 6	72 ÷ 8 = 9
14, (7), (49), 5	49 ÷ 7 = 7

수 카드를 한 번씩 사용하여 목표수를 만들려고 합니다. 알맞은 수 카드 두 장을 찾아 ○표 하고, 나눗셈식을 완성하세요.

수 카드	나눗셈식
(45), (9), 20, 6	45 ÷ 9 = 5
32, (24), (6), 7	24 ÷ 6 = 4
18, (6), 5, (12)	12 ÷ 2 = 6
(12), 8, 32, (4)	12 ÷ 3 = 4
6, (63), (7), 81	63 ÷ 7 = 9
9, (35), 45, (5)	35 ÷ 5 = 7

P 80 ~ 81

다음 식에서 같은 도형은 같은 수를, 다른 도형은 서로 다른 수를 나타냅니다. 식을 보고 도형이 나타내는 알맞은 수를 찾아 □ 안에 써넣으세요.

- 30 ÷ ● = 5, 2 × ■ = ● → ■ = 3, ● = 6
- 14 ÷ ● = 7, 8 ÷ ■ = ● → ■ = 4, ● = 2
- 6 × ● = 48, 40 ÷ ● = ■ → ■ = 5, ● = 8
- 4 × ● = 36, 27 ÷ ■ = ● → ■ = 3, ● = 9
- 45 ÷ ● = 9, 35 ÷ ● = ■ → ■ = 7, ● = 5
- 7 × ● = 21, 18 ÷ ● = ■ → ■ = 6, ● = 3

다음 식에서 같은 도형은 같은 수를, 다른 도형은 서로 다른 수를 나타냅니다. 식을 보고 도형이 나타내는 알맞은 수를 찾아 □ 안에 써넣으세요.

- 28 ÷ ▲ = 4, 14 ÷ ⬟ = ▲ → ▲ = 7, ⬟ = 2
- 30 ÷ ▲ = 6, 45 ÷ ⬟ = ▲ → ▲ = 5, ⬟ = 9
- 9 × ▲ - 36, 32 ÷ ⬟ = ▲ → ▲ = 4, ⬟ = 8
- 7 × ▲ = 42, 30 ÷ ▲ = ⬟ → ▲ = 6, ⬟ = 5
- 3 × ▲ = 24, 16 ÷ ▲ = ⬟ → ▲ = 8, ⬟ = 2
- 14 ÷ ▲ = 2, 28 ÷ ▲ = ⬟ → ▲ = 7, ⬟ = 4